Joël

CARRY
SLEE

De enige die precies weet
wat er is gebeurd...

www.carryslee.nl
www.auteurcarryslee.hyves.nl

Eerste druk, juni 2011
Tweede druk, augustus 2011

Tekst © 2011 Carry Slee
© 2011 Carry Slee en FMB uitgevers, Amsterdam
Omslagbeeld Getty Images/Chris Schmidt
Omslagontwerp Suzanne Bakkum
Ontwerp titelbelettering Edgar Walthert
Opmaak binnenwerk ZetSpiegel, Best

ISBN 978 90 499 2488 1
NUR 285/301

Carry Slee is een imprint van FMB uitgevers bv

I

Er gaat een rilling door Eva als de ouders van Luna zand op het graf van hun dochter gooien. Bart pakt haar hand. De regen drupt in haar nek, maar ze voelt het nauwelijks. Eva kan zich haar leven zonder Luna niet voorstellen. Al vanaf de brugklas waren ze hartsvriendinnen. Altijd waren ze bij elkaar. En nu is ze haar dierbare vriendin zomaar verloren.

De vader van Luna geeft de schep door aan Remco, Luna's ex. Het was nog maar een paar weken uit tussen Remco en Luna. Eva heeft Remco laatst nog in het café gesproken. Hij was zo wanhopig. 'Ik zal haar terugkrijgen, Eva,' bralde hij na zijn zoveelste glas bier. 'Ik heb geduld. Op een dag komt Luna bij me terug. Jij weet het toch ook? Zeg eerlijk, Luna en ik horen bij elkaar, toch?' Eva ging er maar niet op in. Ze had met hem te doen. Ze werd er zich opeens van bewust hoe kwetsbaar de liefde eigenlijk is. Je geeft je hart aan iemand en dan kun je hem of haar zomaar kwijtraken. Ze was nog zo blij dat Luna en zij zo hecht waren. En nu staat ze hier nog geen week later bij Luna's graf. Remco zal haar nooit terugkrijgen. Hij is haar voorgoed kwijt, en zij ook.

Remco's gezicht is bleek als hij de schep aan Eva geeft. Ze staat daar, met de schep voor zich. Ze kijkt naar het graf, naar de bloemen op de kist, die inmiddels doorweekt zijn van de regen. Ze kan het niet bevatten dat haar vriendin daar ligt.

Luna! denkt ze. Ik hou zoveel van je, ik kan je niet missen. Overal vandaan klinkt gesnik. Eva staart wezenloos voor zich uit. Dan begint alles om haar heen te draaien. Ze voelt Barts stevige arm om haar middel. 'Blijven ademen,' zegt hij zachtjes en hij strijkt haar over haar rug.

Bijna iedereen loopt al naar de koffiekamer als Eva nog steeds bij het graf staat.

'Kom mee, lief,' zegt Bart. 'Je kunt hier niet blijven staan.' Hij trekt haar zachtjes mee naar Fleur en Nathalie, die een eindje verderop staan te wachten. Fleur dept haar ogen droog met een zakdoek en Nathalie omhelst Eva. Ze woonden met z'n vieren in hetzelfde studentenhuis – Fleur, Nathalie, Eva en Luna. Nu zijn ze nog met z'n drieën.

Eva kijkt naar de mensen die naar de koffiekamer lopen. Ze snuit haar neus.

'Iedereen is gekomen,' zegt Fleur. 'Maar dat had ik wel verwacht, Luna was razend populair.'

'Ze zal wel heel trots zijn dat er zoveel belangstelling voor haar is,' zegt Nathalie.

'Daar geloof ik dus niks van,' zegt Bart. 'Ik geloof niet dat Luna dit kan zien.'

'Ik wel,' zegt Eva.

'Hoe kan dat nou?' zegt Bart. 'Luna is dood.'

'Laat ons dat nou lekker denken,' zegt Eva kribbig. Bart is altijd zo nuchter.

Achteraan in de rij ziet ze haar ouders. Ze kennen Luna ook heel goed, omdat ze vroeger vaak bij hen logeerde. En Luna ging ook geregeld met hen mee op vakantie. Eva's moeder wacht haar op in de koffiekamer en omhelst haar. Ze zeggen niets tegen elkaar. Het hoeft ook niet. Wat valt er te zeggen? Een jaargenoot van Luna komt naar haar toe. Ze heeft rode ogen van het huilen. 'Ik mis Luna nu al. Ze was altijd zo positief en bijzonder.' Eva kan geen woord uitbrengen en knikt alleen maar. Bij de koffietafel ziet ze Remco staan en ze stapt op hem af. Ze houden elkaar een tijdje vast.

'Ik kan het nog steeds niet geloven,' zegt hij. ''s Avonds kreeg ik opeens een telefoontje van Luna's vader. "Ga even rustig zitten," zei hij. "Ik heb een vreselijk verdrietig bericht voor je. Luna heeft vanmiddag een ongeluk gehad..." Hij vertelde wat er was gebeurd, maar ik hoorde het niet eens meer. Ik dacht dat ik gek werd. We hadden een feestje in ons huis. Ik ben meteen vertrokken. Wat ik die nacht heb gedaan, weet ik niet meer.'

'Het is niet te bevatten,' zegt Eva. 'De dag van het ongeluk hebben Luna en ik tussen de middag nog samen geluncht. We hadden hartstikke lol. Jij had haar natuurlijk al een tijdje niet gesproken, toch?'

'Klopt,' zegt Remco. 'Een week voor het ongeluk hebben we voor het laatst met elkaar gebeld.'

Nathalie komt naar Eva toe met een plak cake. Als ze ziet dat Eva wil weigeren zegt ze: 'Eet nou maar wat. Je hebt vanochtend nog niks gegeten.'

Eva kauwt zonder te proeven. Met moeite slikt ze de muizenhapjes weg. Ze ziet dat Luna's moeder even alleen staat en loopt naar haar toe. Ze pakt haar hand. 'Ik mis haar zo.' Ze begint te snikken. Luna's moeder slaat een arm om haar heen. 'Sorry,' zegt Eva. 'Voor jullie is het het allerergst en dan begin ik te zeuren.'

'Voor jou is het ook afschuwelijk,' zegt Luna's moeder.

De vader van Luna tikt met zijn lepeltje tegen zijn kopje. Het is meteen stil.

'Lieve familie, vrienden en kennissen van Luna...' Hij neemt een hap lucht en praat met hese stem verder. 'Ik wil jullie bedanken dat jullie hier zijn. Ik zou niet weten wat we zonder jullie steun moesten doen. Luna is zo plotseling van ons heengegaan...' Zijn handen trillen. Hij wil nog meer zeggen, maar het gaat niet.

Eva staat nog steeds in de koffiekamer als ze zich ineens doodmoe voelt. Omdat iedereen weet dat zij Luna's beste vriendin was, willen ze allemaal met haar praten. Bart is een halfuurtje geleden weggegaan om verder te werken aan zijn project. Hij bood aan om te blijven, maar dat hoefde niet van haar. Ze weet hoe ambitieus hij is, en dan zeker achteraf zeuren dat hij een kans voorbij heeft laten gaan. Zo gaat het meestal. Haar ouders zijn ook al vertrokken. Er gaan wel meer mensen weg, dus zo gek is het niet als ze nu opstapt. Nathalie en Fleur staan met Luna's tante te praten en daarom stuurt ze hun een sms'je. *Ik ben vast naar huis x*

Ze geeft de ouders van Luna een kus en vertrekt. Het voelt raar als ze naar buiten gaat. Alsof ze Luna hier nu

8

achterlaat. Het miezert nog steeds. Eva vindt het juist wel lekker om de spetters tegen haar warme wangen te voelen. Op de fiets barsten de tranen pas goed los. Niemand die het ziet in de regen. Ze weet nu al dat ze niet vaak naar het kerkhof zal gaan. Dat is niks voor haar, ze wordt daar alleen maar somber van. Trouwens, wat heeft Luna daaraan?

Als ze thuiskomt, pakt ze de sleutel en gaat naar Luna's kamer. Na het ongeluk is ze er niet meer geweest. Ze doet de deur open en blijft op de drempel staan. Alles staat nog precies zoals altijd. Luna zou zo binnen kunnen zijn. Maar ze is niet binnen, dat zal nooit meer gebeuren. Ze kijkt naar Luna's knuffelbeer, die eenzaam op de kast zit. Toen Luna's oma was gestorven, heeft hij wel een week bij Luna in bed gelegen. Eva loopt naar hem toe en drukt hem even tegen zich aan. 'Hoe moet het nou met jou, Beer?' zegt ze en ze geeft hem een kus op zijn kop. Ze zet hem voorzichtig terug en kijkt Luna's kamer rond. Haar oog valt op Luna's mobiel, die naast het bed aan de oplader ligt. Ze pakt hem op. Eva rilt als ze ziet dat hij nog aanstaat. Hoe vaak zal haar naam niet in het geheugen staan? Luna en zij belden zo vaak met elkaar. Ze moet een van de laatsten zijn die haar heeft gesproken. Ze kijkt naar de ontvangen oproepen. Nee, niet zij, Remco is de laatste die haar heeft gebeld. Eerst dringt het nog niet tot haar door, maar dan beseft ze het ineens. De twaalfde om kwart over vijf heeft Remco Luna gebeld. Een halfuur voor het ongeluk.

Eva zit nog steeds met Luna's mobiel in haar handen als de kamerdeur openvliegt.

'O, zit je hier?' zegt Fleur. 'Word je hier niet depri van? Het was al zo'n zware dag en dan ga jij hier in je eentje op Luna's kamer zitten. Daar word je echt niet blij van.'

Eva haalt haar schouders op.

'Raar, hè?' zegt Nathalie, die ook binnenkomt. 'Het idee dat Luna hier nooit meer zal zijn.'

'Weet je wie ik heb gemist?' Fleur gaat naast Eva op het bed zitten. 'Onze huisbaas.'

'Nee, die schijterd durfde natuurlijk niet,' zegt Nathalie. 'Hij had deze toko allang moeten renoveren. Zulke lage ramen mogen helemaal niet meer. Je ziet het overal, dan zit er een hekwerk voor.' Nathalie kijkt naar het raam dat op de straatkant uitkomt. 'Als het mijn kamer was geweest, was dat raam nooit opengegaan. Ik zou altijd het achterraam hebben opengezet. Dat zit tenminste op een normale hoogte, maar Luna vond het juist super. Hoe vaak hebben we haar niet gewaarschuwd.'

'Luna zag nergens gevaar in,' beaamt Fleur. 'Als het buiten een beetje lekker was, zat ze in het raam te paffen.'

'Het is maar goed dat die ploert van een huisbaas er niet was,' zegt Nathalie. 'Ik vind dat hij schuldig is.'

'Natuurlijk niet,' zegt Fleur. 'Wat een onzin. Hij is geen moordenaar omdat hij een bouwval aan ons verhuurt. Utrecht staat vol met dit soort panden.'

'Toch is hij verantwoordelijk. Wat vind jij?' Nathalie kijkt Eva aan.

'Eh... wat?'

'Vind jij dat de huisbaas verantwoordelijk is voor Luna's dood?'

'Remco heeft Luna als laatste gebeld,' zegt Eva half in gedachten.

'Wat wil je daarmee zeggen?'

'Een halfuur voor het ongeluk. Ik sprak hem in de koffiekamer. Hij zei dat hij Luna een week geleden voor het laatst had gebeld.'

'We zijn allemaal in de war,' zegt Fleur. 'Remco ook. Het maakt ook niet uit door wie en wanneer ze voor het laatst is gebeld. Het was een afschuwelijke dag vandaag. Ik zag er zo tegen op en het viel me niet mee. Laten we hier weggaan. Ik heb nog een fles wijn op mijn kamer, we gaan toosten op Luna.'

Toch klopt het niet, denkt Eva. Waarom liegt hij hierover?

2

Eva kijkt geschrokken naar Luna's moeder, die met een grauw gezicht voor haar deur staat. Ze ziet er in- en inbedroefd uit. De twinkeling is uit haar ogen verdwenen en haar huid ziet vaal. Eva wil niet dat Luna's moeder merkt dat ze van haar schrikt en geeft haar snel een kus. 'Koffie?'

Luna's moeder knikt.

Eva neemt haar mee naar haar kamer en steekt een kaars op haar kastje aan. 'Ik heb een gedenkplekje voor Luna gemaakt.'

Luna's moeder, die altijd honderduit praat, zwijgt. Ze kijkt naar de foto van Luna, die Eva heeft ingelijst, en de bloemen die eromheen staan. Eva laat haar even alleen.

'Ach lieverd,' hoort Eva Luna's moeder met een gebroken stem zeggen. 'Wat heb je een mooie plek bij je vriendin gekregen.'

De koffie staat er al een poos als Luna's moeder bij Eva komt zitten. Het valt Eva op dat zelfs haar bewegingen veel trager zijn, alsof elke handeling moeite kost. Haar leven zal nooit meer hetzelfde zijn. Eva hoort Luna's moeder zuchten. Zelf ziet ze ook tegen de klus op, maar Luna's

kamer moet leeg. Er zijn zoveel studenten die op woonruimte zitten te wachten. Luna's moeder wil dat Eva uit-
zoekt wat ze van Luna wil hebben. Deze maand wil haar
vader de kamer nog leeghalen. Het idee alleen al dat er opeens een ander in Luna's kamer komt te wonen... Eva
moet er nog niet aan denken. Ze wil in haar koffie roeren,
maar laat het lepeltje vallen.

Ze denkt aan het telefoontje van Remco. Ze heeft zich
voorgenomen om niets tegen Luna's moeder te zeggen,
maar nu ze tegenover elkaar zitten twijfelt ze ineens.

'Je hebt een fijn plekje hier,' zegt Luna's moeder.

'Gelukkig wel,' zegt Eva. Als ze ook nog ergens in een
trieste straat zou wonen... 'Ik heb alleen geen zin meer in
mijn studie,' zegt ze. 'Misschien hou ik er wel mee op.'

'Nee, kind,' zegt Luna's moeder. 'Dat moet je absoluut
niet doen. Je bent in de war. In deze periode moet je geen
grote beslissingen nemen, dat hoor ik van iedereen. Wij
doen dat ook niet. "We gaan emigreren," zei Ad gisteravond. "Wat moeten we hier nog nu onze enige dochter er
niet meer is?" Ik zei: "Nee, liever, dat doen we dus niet.
Je wilt vluchten voor je verdriet, dat gaat niet. Hoe moeilijk het ook is, we zullen er toch doorheen moeten." En dat
geldt ook voor jou, Eva.' Ze staat op en loopt onrustig
heen en weer. 'Laten we maar beginnen,' zegt ze. Ze drinkt
niet eens haar koffie op. Eva gaat haar voor naar Luna's
kamer.

Als ze de deur opendoet, overvalt de leegte haar. Het is
zo verschrikkelijk stil zonder Luna. Luna's moeder gaat
voor het raam staan. Eva ziet haar verdrietige gezicht. Zelf
heeft ze nog niet door dat raam durven kijken. Ze ziet dat

Eva's moeder rilt en slaat een arm om haar heen. Hoe moeilijk het ook is haar pijn te zien, het voelt toch goed om samen te zijn.

'Je moet maar zeggen wat je wilt hebben,' zegt Luna's moeder gelaten.

Het enige waar Eva echt in is geïnteresseerd is Luna's beer, maar die durft ze niet te vragen. Ze heeft het gevoel dat ze dan iets heel dierbaars van Luna's ouders aftroggelt. Als Luna's moeder het nou uit zichzelf zou aanbieden, zou het wat anders zijn. Maar Luna's moeder zegt niks.

Eva kijkt naar het prikbord met de vakantiefoto's. Luna en zij samen op Ibiza. Eva heeft daar met een Spaanse jongen gezoend. Ze heeft het nooit tegen Bart verteld. Waarom zou ze? Hij zou zich doodschrikken en het betekende niets. Ze hadden te veel gedronken. Luna had daar met een Engels meisje gezoend. Het was de eerste keer dat ze met een meisje had gezoend.

Eva kijkt naar de pasfoto's boven het bed. Die wil ze ook graag hebben. Luna en zij waren heel melig toen ze die lieten maken. Ze stonden in het hokje en lagen slap van de lach. Buiten stond een hele rij te wachten. 'Zijn jullie nou een keer klaar?' zei een man geërgerd. Ze lagen helemaal in een deuk. Als ze eenmaal de slappe lach hadden, hield het nooit meer op. Tranen liepen over hun wangen. 'Au, mijn buik!' riep Luna steeds. Toen ze eindelijk naar buiten kwamen, was iedereen weg.

Op de middelbare school mochten ze niet meer naast elkaar zitten. De leraren werden gek van hen. Het verbaast haar nog steeds dat ze hun examen hebben gehaald. Luna had een herexamen, maar gelukkig kwam ze erdoorheen. Ze had het jaar vast niet overgedaan als ze was gezakt.

Eva kijkt naar het schilderij van de eenhoorn dat boven Luna's bed hangt. Het was haar toelatingswerkstuk voor de kunstacademie. Eva vindt het prachtig, maar dat gaat natuurlijk naar Luna's ouders.

Op de tafel ziet Eva het kaartje voor het North Sea Jazz Festival liggen. Daar zouden ze samen naartoe gaan. Haar hoofd staat er nu echt niet naar. Ze zal het aan Fleur geven, dan kan Nathalie haar kaartje krijgen.

'Die sieraden,' zegt Luna's moeder opeens. 'Zijn die niks voor jou?' Ze geeft haar een doosje en ze gaan naast elkaar op Luna's bed zitten. Eva maakt het doosje open.

'Hé, er is maar één oorbel,' zegt Luna's moeder verbaasd.

Eva legt de oorbel op haar hand. Luna wilde die oorbellen zo graag hebben. Gouden oorbellen, heel kostbaar. Ze weet nog hoe blij ze was toen ze ze van haar ouders kreeg toen ze geslaagd was voor de middelbare school. Die avond gingen ze feesten en ze had ze meteen in gedaan. De volgende ochtend werden ze met een megakater wakker. 'Shit,' zei Luna toen ze in de spiegel keek. 'Mijn oorbel.' Ze heeft hem nooit meer teruggevonden.

Eva kijkt naar de andere sieraden en moet huilen. 'Ik kan het niet.' Ze stopt de oorbel terug. 'Ik kan het gewoon nog niet.'

Luna's moeder krijgt het ook te kwaad. 'Het is nog te moeilijk. Ik laat al haar spullen naar ons huis brengen, dan kijken we later wel.' Ze pakt Eva's hand. 'Maar dat doosje moet je meenemen, dat wil ik.'

15

Eva aarzelt.

'Alsjeblieft,' zegt ze, 'doe het voor mij.'

Eva knikt. Met het doosje in haar hand loopt ze Luna's kamer uit. 'U hebt nog koffie staan, wilt u die nog opdrinken?'

'Nee, dank je.' Luna's moeder slaat haar armen om Eva heen. 'Tot gauw.' Ze geeft haar een zoen. 'Ik heb zo'n geluk met jou. En met Remco. Jullie zijn ons veel tot steun. Remco kwam gisteravond ook nog bij ons langs. Wat is die jongen verdrietig. Hij hield echt heel veel van Luna. Als het aan hem had gelegen, was het nooit uitgegaan. Ik snap nog steeds niet wat Luna ineens bezielde.'

Ze kijkt Eva aan, maar die gaat nergens op in. Luna's moeder hoeft niet te weten waarom Luna het had uitgemaakt. 'O, ik heb Luna's mobiel nog,' zegt ze. 'Hij ligt op mijn kamer. Ik haal hem wel even.'

'Nee, meis, dat komt wel.' Luna's moeder draait zich om en vertrekt.

Als Eva haar kamer in komt, zet ze het doosje op tafel. Ze valt snikkend op haar stoel neer. Luna en zij waren zo close. Niemand kon tussen hen komen, zelfs Bart niet. Hij mopperde er weleens over. 'Jullie lijken wel een Siamese tweeling.' Luna had ooit een poes, Snoepie. Net voordat Eva een weekend met Bart zou weggaan, werd Snoepie overreden. Eva is thuisgebleven. Nathalie was op vakantie en Fleur woonde nog niet bij hen. Bart baalde wel, maar dat kon haar niks schelen. Ze liet haar beste vriendin niet alleen met haar verdriet. Bovendien laat hij zelf altijd zijn studie voorgaan.

Ze staat op en houdt haar gezicht onder de kraan.

Eva hoort een zachte klop op de deur. Zeker Nathalie, denkt ze. Dan kan ze haar meteen het kaartje voor het North Sea Jazz Festival geven. Ze wilde supergraag, maar had geen cent. Fleur ook niet. En ze wilden het ook niet van haar of Luna lenen. Maar het is Nathalie niet. In de deuropening staat Bart. Hij heeft een bos bloemen in zijn hand.

'O Bart...' Eva's lip begint te trillen.

Bart legt de bloemen op tafel en tilt haar op. 'Het is ook afschuwelijk.' Hij gaat met Eva op schoot op haar bed zitten. 'Maar je moet verder, darling.'

'Dat doe ik toch,' zegt ze geïrriteerd en ze gaat van zijn schoot af. Als hij dat nou over een maand zegt, maar Luna is net begraven.

'Kijk.' Hij haalt zijn fototoestel tevoorschijn en laat haar een paar foto's zien. Alsof haar hoofd daar nu naar staat. 'Dit is ons project.'

'Ja, schat, een andere keer.'

'Ik ga ermee scoren. Let maar op.' Hij geeft haar een kus, en bestudeert zelf de foto's. Ze vindt het wel schattig, hij is zo bevlogen. Het intrigeert haar hoe hij met zijn vak bezig is en ze vindt hem een superlekker ding. Hij heeft praatjes, maar dat vindt ze juist leuk. Hij ziet ook altijd alles. Bart is echt een kijker, daarom is hij ook geknipt voor het vak van fotograaf. Eva is veel meer een gevoelsmens. 'Je ziet weer niks,' zegt Bart vaak lachend als ze ergens zijn. Daar heeft hij wel gelijk in, want ze is altijd met haar emoties bezig. Ze kan bij iemand thuis zijn geweest en totaal niet weten hoe het eruitzag. Bart ziet alles, elk detail.

Terwijl Bart de foto's van zijn project bestudeert, denkt Eva aan Remco. Het gevoel dat er iets niet klopt, wil haar maar niet loslaten.

3

Fleur zet haar fiets tegen de lantaarnpaal voor het huis. Ze kijkt opzettelijk de andere kant op. Ze vermijdt nog elke dag de plek waar Luna is gevonden. Ze wil die gewoon niet zien, ze kan het niet. Zuchtend komt ze haar kamer in. Ze heeft net een biertje gedronken met studenten van haar jaar. De gesprekken gingen natuurlijk weer over Luna. Een dansvriendin van Luna zit bij haar in het jaar. Het lijkt wel of alles om Luna draait. Ze wordt er gek van. Ze zet haar laptop aan en surft naar haar favoriete community. Hanke is online, gelukkig. Een hele verademing om met iemand te praten die Luna niet kent. Bij de community weten ze niets van Luna's dood. Ze kon het niet opbrengen om hun erover te vertellen. Ze is benieuwd hoe het met Hanke is, haar verkering is net uit.

FLEUR: Hi. Ben je er al een beetje overheen?
HANKE: Het gaat wel weer. Ik heb een besluit genomen. Ik ga naar Groningen verhuizen. Je bent de eerste die het weet. Ik trek het niet meer om met Alex in hetzelfde

19

huis te wonen nu het uit is. Hij kwam gisteren met een meid de keuken in. Stond ik daar. Ik dacht: ik moet hier weg!

FLEUR: En hoe doe je dat dan met je studie?

HANKE: Ik reis voorlopig heen en weer. Wat maakt mij dat uit? Alles is beter dan met Alex onder één dak. Hij heeft geen enkel gevoel.

FLEUR: Heb je al een kamer?

HANKE: Ik ben bezig. En hoe ging jouw tentamen?

FLEUR: Ik denk dat ik het wel heb gehaald.

HANKE: Jij wordt vast een beroemd journalist.

FLEUR: Ik hoop het.

Studeren is nog het enige wat goed gaat, denkt Fleur. Maar ze is ook supergemotiveerd. Ze weet nog hoe ze uit haar dak ging toen ze bericht kreeg dat ze op de School voor Journalistiek was aangenomen. En nu zit ze al in het laatste jaar.

Onder het koken denkt ze aan Hanke. Ze gaat verhuizen omdat alles haar aan haar ex herinnert. Hier herinnert alles haar aan Luna; elke stap die ze in dit huis zet. Luna is geen seconde uit haar gedachten. Ze is bang dat het nooit over zal gaan, dat ze er last van zal houden zolang ze hier woont. Ze moet weg, net als Hanke. Opnieuw beginnen. Ze zet het gas uit. Waar zou ze heen willen? Een andere kamer in Utrecht zoeken? Geen probleem, die heeft ze zo. Iedereen wil wel ruilen met een kamer vlak bij de Oudegracht. Maar ze wil helemaal niet ergens anders in Utrecht wonen. Ze wil helemaal weg. Amsterdam is een optie. Zo lang hoeft ze niet meer op en neer te reizen. Ze kan zelfs een stageplek in Amsterdam zoeken. Wat zal het een opluchting zijn. Nooit meer langs die afschuwelijke plek. Er is vast wel een student in Amsterdam die een kamer in Utrecht zoekt.

Fleur zit al met haar bord op schoot achter haar laptop als Nathalie haar kamer in komt.

'Kijk eens wat ik heb?' Ze zwaait met een kaartje. 'We kunnen samen naar het North Sea Jazz Festival. Jij mag op Luna's kaartje en ik op Eva's.'

Luna's kaartje, denkt Fleur. Ook dat nog. 'Ik weet niet of ik erheen wil. Ik vind het zo'n rare gedachte, het ongeluk is nog zo kort geleden gebeurd.'

'Fleur, het is juist goed. Wij moeten verder, hoor.' Nathalie ziet Fleur naar het kaartje kijken. 'Als je het moeilijk vindt om op Luna's kaartje te gaan, mag jij wel op dat van Eva.' Ze pikt een champignon van Fleurs bord en stopt hem in haar mond. Ze kijkt haar vriendin hoopvol aan.

Fleur moet lachen. Echt Nathalie weer; die geeft niet zomaar op als ze iets graag wil.

'Dus je gaat?' vraagt Nathalie.

Fleur knikt. Misschien is het wel goed, denkt ze. Even iets anders aan mijn hoofd.

Nathalie kijkt op het beeldscherm van Fleurs laptop. 'Woningruil? Fleur, je gaat hier toch niet weg? Je laat ons nu toch niet in de steek?'

'Misschien,' zegt Fleur. 'Ik denk erover na.'

'Super dat we toch gaan,' zegt Nathalie als ze bij het North Sea Jazz Festival aankomen. De sfeer zit er al goed in.

Vanaf het metrostation ging er één lange rij richting festival. Allemaal jazzliefhebbers.

'En dan te bedenken dat ik bijna niet was gegaan,' zegt Fleur.

Ze sluiten achteraan aan in de rij voor de ingang. Bij de kassa hangt een groot bord. UITVERKOCHT. Ze hebben mazzel dat ze al kaartjes hebben. Er zijn nog jongeren die erin proberen te komen, maar er zijn echt geen plaatsen meer.

Eindelijk mogen ze naar binnen. 'Gefeliciteerd,' zegt de man die hun kaartjes afscheurt. 'Je hebt een prijs gewonnen. Iedere honderdste bezoeker mag naar de afterparty.'

Nathalie denkt eerst nog dat hij een grap maakt, maar hij geeft haar een pasje met AFTERPARTY erop. 'Wauw! Mag mijn vriendin ook mee?'

'Ja, je mag een introducé meenemen,' zegt de man.

'Yes! De afterparty!' zegt Nathalie als ze doorlopen. 'Daar kunnen we alle artiesten spotten. Wat een mazzel!' Ze geeft Fleur een zoen. 'Stel je voor dat we dit hadden gemist. Wat ben ik blij dat ik mijn camera heb meegenomen. Ik ga foto's maken, anders geloven ze ons nooit. Dit is te gek! We gaan een lekker ding versieren.'

Daar is Fleur niet echt voor in de stemming. Ze zegt nog niks, maar ze denkt niet dat ze gaat. Ze kijkt op de plattegrond. Overal in het gebouw zijn zalen met concerten; ze willen eerst naar Angie Stone.

'Rechtdoor,' zegt Fleur. 'Die zaal, achter in de hal.'

Tussen de drommen mensen door wurmen ze zich de concertzaal in. Aan het eind staat een megapodium met allemaal lampen erop.

'Straks staat Angie Stone daar!' zegt Fleur.

'Als we haar kunnen zien,' zegt Nathalie.

Ze zullen naar het scherm moeten kijken, want het podium is ver weg. Alleen helemaal achterin is nog plek. Naast zich horen ze een groepje jongens en meiden mopperen. 'Hallo, zijn we in Madurodam of zo? En daar betaal je al dat geld voor,' zegt een van de meisjes boos.

Zelf zou ik ook hebben gebaald, denkt Nathalie, maar zij hebben geluk. 'Boffen wij even dat we naar de afterparty mogen,' zegt Nathalie tegen Fleur. 'Dan zien we alle musici van heel dichtbij. Als Angie Stone daar ook is, moet je haar interviewen.'

Niet gek bedacht, denkt Fleur. Misschien dat ze toch maar blijft.

'Zo'n kans krijg je nooit meer,' zegt Nathalie. 'Ik zorg wel voor superfoto's.'

'Rustig nou maar, misschien is ze daar helemaal niet.'

'Nou, in elk geval zijn er beroemdheden genoeg.'

De band komt op en begint het bekende intro te spelen. En dan stapt Angie Stone het podium op. De zaal begint te juichen. Nathalie en Fleur doen net zo hard mee. Even is Luna uit hun gedachten verdwenen.

Als het laatste concert is afgelopen, schuifelen Nathalie en Fleur met de menigte mee de hal in. Ook dit concert was heel swingend, maar het podium was ook weer heel ver weg. Ze werden zowat platgedrukt. Twee meiden die in het midden van de zaal stonden, vielen flauw.

Nathalie wilde ook meer naar voren, maar dat wilde Fleur niet. Ze had al bij Angie Stone gezien hoe dat ging.

'Zeker als een sandwich tussen de menigte geplet worden. Dat is niks voor mij. Ga jij maar,' zei ze tegen Nathalie. Maar Nathalie is toch bij haar gebleven. Nu komt het goed uit dat ze achteraan staan. Ze zijn zo in de hal.

'Dat was kicken!' zegt Nathalie als Fleur zoekt waar de afterparty wordt gehouden.

'Hebbes!' Fleur trekt haar mee. Bij een trap wijst een pijl naar beneden. Er hangt een bord: VIPS ONLY.

'Dat zijn wij!' Ze rennen ernaartoe.

'Hier maken we een foto van,' zegt Nathalie. 'Wat zullen ze op school jaloers zijn.' Ze zet haar camera op de zelfontspanner en dan poseren ze voor het bord. 'Wacht!' zegt ze als Fleur door wil lopen. Ze haalt haar mobiel uit haar zak en neemt een foto van hen tweeën. 'Die sturen we naar Eva.'

Als ze klaar zijn met foto's nemen, gaan ze de trap af. Bij de deur staat een portier. Ze mogen pas doorlopen als hij hun kaartje heeft gescand. Nathalie heeft het gevoel dat ze droomt. Ze is zo verschrikkelijk blij dat ze Fleur heeft overgehaald mee naar het North Sea Jazz Festival te gaan. Ze knijpt in Fleurs hand. Als ze naar binnen lopen, houdt een vrouw hun een dienblad voor met luxe uitziende hapjes. Nathalie pakt een toostje met kreeft en neemt een hapje.

'Champagne voor de dames?' vraagt een jongen die bedient.

'Graag,' zegt Nathalie.

Wat is ze toch grappig, denkt Fleur. Nathalie loopt rond alsof ze wekelijks afterparty's bezoekt.

Ineens blijft Nathalie als versteend staan. Ze hapt naar lucht. 'Angie Stone...!'

'Ik ga naar haar toe,' zegt Fleur beslist. 'Vergeet niet om foto's te maken.'

Nathalie kijkt haar vriendin na. Die durft. Maar ja, denkt ze, als ze het niet zou durven kon ze ook geen journalist worden. Fleur spreekt haar echt aan! Nathalie haalt haar camera tevoorschijn en klikt. Dit gelooft Eva nooit. Ze maakt er ook nog een met haar mobiel en stuurt de foto meteen naar Eva. Fleur staat een hele poos met Angie Stone te praten. Nathalie schiet de ene foto na de andere.

Iemand zegt iets tegen haar. Als ze naast zich kijkt ziet ze een donkere jongen.

'Wil je er ook op? Zal ik een foto van je nemen?' vraagt hij in het Amerikaans.

'Nee.' Ze kijkt hem aan. Ze kent hem niet. Geen bekende muzikant dus.

'Ik ben niet beroemd,' zegt de jongen lachend als hij Nathalies onderzoekende blik ziet. 'Ik val in voor de drummer van Angie Stone.'

'O,' zegt Nathalie een beetje beschaamd.

Hij steekt zijn hand uit. 'Tony.'

'Nathalie.' Ze schudt zijn hand. 'Wel een hele eer dat je bij Angie Stone sideman mag zijn.'

'Het is hard werken, hoor,' zegt hij. 'We zijn veel onderweg, altijd maar in die bus.'

'Wel met Angie Stone.'

'Dat had je gedacht, die wordt heel luxe vervoerd door een privéchauffeur. Wij zijn de werkpaarden. Maar ja, je moet ergens beginnen. Over een jaar of twee hoop ik mijn eigen band op te starten.'

Er komt een jongen met twee drankjes naar hen toe.

'Dit is Jim,' zegt Tony. Fleur komt er ook bij staan en geeft de jongens een hand. Nathalie kijkt om zich heen, om te zien of ze nog meer sterren kan spotten.

'Waar komen jullie vandaan?' vraagt Fleur.

'L.A.,' zegt Tony. Hij kijkt naar Nathalie en geeft haar een knipoog. 'En jullie?'

'Eh... Utrecht,' zegt Nathalie. Mijn god, lekker interessant. Alsof Utrecht een Amerikaan iets zegt.

'Utrecht? Daar moeten we optreden,' zegt Tony. 'Geef me je nummer, dan bel ik als we daar zijn.'

Terwijl hij haar nummer in zijn mobiel zet, loopt Jim naar voren. Hij wenkt Tony. 'We gaan jammen!'

Als Jim en Tony beginnen te spelen, komen er ook andere musici bij staan. Een saxofonist speelt mee. En een gitarist. Nathalie kijkt naar de jongens. Ze spelen goed. Tony kijkt haar kant op en geeft haar een knipoog. Fleur vraagt Nathalies camera en maakt wat foto's van de muzikanten. Ze is blij dat ze is gebleven. Ze zien nog meer artiesten die hebben opgetreden.

'Volgens mij vindt die Tony jou wel leuk,' zegt Fleur als ze een drankje van een dienblad pakt.

Nathalie knikt. Ze durft amper Tony's kant op te kijken. Als hij even later zijn plek aan een andere drummer afstaat, komt hij meteen naar haar toe. 'Iets drinken?' Hij slaat een arm om haar heen.

'Hoe laat is het eigenlijk?' vraagt Fleur.

Nathalie schrikt zich dood als ze de tijd ziet. 'Onze trein!'

'*Seriously*?' Tony kijkt haar bedroefd aan.

'We moeten rennen,' zegt Nathalie. Ze geeft Tony een snelle kus.

'Ik bel je!' roept hij haar nog na.

4

Eva staat in de supermarkt bij de kassa. Iemand botst per ongeluk met zijn karretje tegen haar hielen. De tranen springen haar in de ogen. De man achter de kassa ziet het en de vrouw met het karretje ook. Zie je wel, denkt ze als ze naar buiten loopt. Dit heeft ze nou elke keer. Er hoeft maar iets te gebeuren en ze begint te janken.

Als ze thuis is, pakt ze haar studieboek en begint te studeren. Na een uurtje legt ze het boek weg. Ze heeft nog best veel gedaan. Dat had ze nooit gedacht. Binnenkort heeft ze tentamen. Ze kan heus wel uitstel krijgen door wat er met Luna is gebeurd, maar wat schiet ze daarmee op? Ze zal het toch moeten inhalen. Eigenlijk was het wel fijn even met haar gedachten bij haar studie te zijn.

Luna zat bij haar in hetzelfde jaar. Maar die had haar studie al zo'n beetje opgegeven. Het sloeg ook nergens op dat ze psychologie ging studeren. Luna hield zich nooit bezig met de zielenroerselen van anderen. Daar had ze niet eens geduld voor. Ze was wel heel creatief. Ze kon prachtig schilderen, net als haar ouders. Ze had meteen naar de kunstacademie moeten gaan. Iedereen verwachtte dat ook. De rector zei het zelfs bij de diploma-uitreiking. 'Van één weten we zeker wat ze gaat worden en dat ben jij, Luna.' Dan moet je net bij Luna zijn, dan deed ze het dus juist niet. Haar ouders hadden er ook helemaal op gerekend. Haar vader viel zowat flauw toen hij hoorde dat Luna psychologie ging studeren. Ze deed het alleen maar omdat zij, Eva, het ging doen. Gezellig met z'n tweeën naar de universiteit, zo was Luna. Haar studie werd een grote flop, dat had Eva haar al van tevoren kunnen vertellen. Ze hoorde er ook niet. Zonder het iemand te vertellen heeft ze toch toelatingsexamen voor de kunstacademie gedaan. Alleen Eva wist het. Remco niet eens, ook al hadden ze toen al verkering. Ze werd meteen op haar portfolio aangenomen. Haar ouders had ze het ook niet verteld. Dan denken ze nog dat ik het voor hen doe, zei ze. Eva denkt echt niet dat Luna's ouders dat zouden denken. Luna had talent. Ze was vast een groot kunstenaar geworden. Maar dat zullen ze nu nooit meer meemaken. Eva zakt in haar stoel neer. Ze voelt zich meteen weer depri. Wat moet ze zonder haar hartsvriendin? Er waren nog zoveel dingen die ze samen wilden doen. Ze is blij dat ze niet naar het North Sea Jazz Festival is gegaan. Ze voelt zich nog veel te labiel, anders had ze net in de supermarkt ook niet hoeven huilen. Nee, dan moet je naar zoiets als een concert gaan. Zeker ergens tussen de menigte gaan staan. Ze wordt al duizelig als ze eraan denkt.

Haar mobiel gaat. Ze neemt op. 'Hallo, met Eva.' Het blijft even stil en dan wordt de verbinding verbroken. Wie kan dat nou zijn? Ze bekijkt het nummer, van wie is het ook alweer? Opnieuw gaat haar mobiel, hetzelfde nummer. Weer blijft het even stil.

'Eh, met Remco, weet jij soms waar Luna's mobiel is?'

'Waarvoor wil je die hebben?'

'Ik heb al mijn sms'jes gewist toen het uit was en ik hoop dat Luna ze heeft bewaard.'

'Luna heeft ze ook allemaal gewist,' zegt Eva. 'En ik weet niet waar haar mobiel is.'

Wat een belachelijk telefoontje. Ze hoorde het meteen aan zijn stem, het was een smoes. Hij wil het mobieltje hebben omdat niemand mag zien dat hij Luna zo kort voor het ongeluk heeft gebeld. Hij wil het bewijs in handen hebben voor iemand erachter komt dat hij heeft gelogen. Ze zegt gauw gedag en hangt op.

Ze schrikt als de deur van haar kamer opengaat. Het is Bart.

'En?' vraagt Eva. 'Mooie foto's gemaakt?'

Hij geeft haar een kus. 'Jij hebt hier toch niet de hele avond zo gezeten, hè?'

'Ik heb gestudeerd. Koffie?' Eva staat op.

'Ik heb een verrassing voor je,' zegt Bart. 'We gaan een weekendje naar jouw lievelingseiland. Ik heb op Vlieland een hotelletje geboekt. Ik trakteer.'

'Ik wil helemaal nog niet weg.' Eva ziet dat de koffie op is. Ze was vandaag nog in de supermarkt, helemaal vergeten. 'Is een biertje ook goed?'

'Prima,' zegt Bart. 'Maar we gaan wel, Eva. Je moet eruit. Luna heeft er niks aan als jij hier maar zit te piekeren.'

Eva zet een biertje voor Bart neer. 'Sorry, ik wil nog niet weg, ook niet naar Vlieland.'

'Waarom dan niet?'

'Gewoon, ik wil bij Luna's kamer blijven. Ik weet het niet, zo voelt het.'

'Je moet het aanvaarden, Eva.' Bart gaat op de leuning van haar stoel zitten en slaat een arm om haar heen. 'Ik denk dat je het niet kunt accepteren, maar je moet.'

Eva springt boos op. 'Ik hoef toevallig helemaal niks. Als ik hier dicht bij Luna wil blijven, doe ik dat.'

'Luna is hier niet meer.'

'Ja, dat weet ik ook wel,' zegt Eva snibbig. 'Je snapt het toch wel. Bij Luna's kamer, waar het is gebeurd.'

'Eva, liefje.' Bart loopt naar haar toe. 'Daar krijg je Luna niet mee terug. Ik snap hoe moeilijk het voor je is. Het is ook afschuwelijk. Ze had nooit uit dat fucking raam mogen vallen.'

'Dat zeggen ze,' zegt Eva. 'En ik geloofde dat eerst ook.'

'Hoe bedoel je "eerst"? Wat denk je dan nu? Je denkt toch niet aan zelfmoord? Daar was toch helemaal geen reden voor?' Bart trekt haar naar zich toe en streelt haar haar.

'Het klopt niet, Bart. Remco heeft tegen mij gelogen. Ik vertrouw hem niet meer.'

Bart kijkt haar niet-begrijpend aan. 'Je denkt toch niet dat Remco hier iets mee te maken heeft?'

'Hij heeft tegen me gelogen, Bart. Ik heb gezien dat hij haar vlak voor het ongeluk heeft gebeld. En nu wil hij in-eens haar mobiel hebben. Je snapt toch wel waarom? Of ben je echt zo naïef?'

'Heb je hem gegeven?'

'Nee, natuurlijk niet. Ik ben niet gek.'

'Eva, liefje, wat gaat er allemaal in je hoofd om? Remco is echt een aardige vent.'

'Ik dacht ook dat hij aardig was,' zegt Eva, 'maar toen ben ik eens gaan nadenken. Zo aardig is hij niet tegen Luna geweest. Hij was ziekelijk jaloers; als ze alleen maar naar een andere jongen in het café kéék maakte hij al ruzie. Hij was veel te bezitterig.'

'Zo'n lieverdje was Luna ook niet.'

'En toen ze het uit had gemaakt, ging hij heel erg tekeer. Zo agressief,' gaat Eva verder.

'Zo gek is dat niet, dat zijn emoties. Als jij het zomaar uit zou maken, dan zou ik misschien ook gaan schreeuwen. Ik vind Remco een heel normale jongen. Hij is misschien een driftig mannetje. Nou en?'

'Bart, dit was geen drift. Het was agressie.'

'Dan nog,' zegt Bart. 'Zo labiel kan Luna daar niet van zijn geweest. Er zijn toch wel ergere dingen gebeurd in haar leven dan een ex die ontploft?'

'Jij wilt het niet geloven, hè?' roept Eva boos. 'Luna is nog nooit zo bang voor iemand geweest.'

'Luna was soms ook erg gevoelig,' zegt Bart. 'Dat weet je zelf ook.'

'Juist daarom was het zo gemeen,' zegt Eva met tranen in haar ogen. 'Dat wist Remco, hij wist hoe gevoelig ze was.'

'Je moet het uit je hoofd zetten, Eva. Echt waar.'

'Het laat me niet los,' zegt Eva snikkend.

'Dat hoort erbij,' zegt Bart. 'Je zit in een shock. Twee weken geleden zat Luna hier nog. Dat is toch ook niet te bevatten? Toen mijn vader plotseling dood was, kon ik het ook niet geloven. Ik zat een keer op het perron op de trein te wachten. Aan de overkant stond een man die op mijn vader leek. Daar heb je mijn vader, dacht ik. Maar het was mijn vader niet. Ik dacht: ik ben gek, ik moet naar een psychiater. Maar toen las ik op internet dat het heel normaal is.'

'Ach, misschien heb je wel gelijk,' zegt Eva. 'Het komt allemaal door dat stomme mobieltje.' Had ze dat ding maar nooit bekeken.

'Dus wat gaan wij het weekend doen?' Bart geeft haar een kus op haar neus.

'Ik weet het nog niet.' Eva laat Bart een foto op haar mobiel zien. 'Die twee zijn naar de afterparty.'

'Heb je geen spijt dat je zelf niet bent gegaan?'

'O, please,' zegt Eva. 'Ik zou daar flippen.'

'Van mij flip je toch niet?' Bart duwt haar achterover op bed. Terwijl hij haar kust, voelt ze zijn hand langs haar been omhooggaan. Ze wil eigenlijk helemaal niet vrijen, maar ze wordt opgewonden. Ze voelt zijn stijve tegen zich aan. Een paar minuten later liggen ze naakt op bed. Eva gaat boven op Bart zitten, haar favoriete standje. Ze kreunt van genot als Barts stijve pik bij haar naar binnen gaat. Wild beweegt ze op en neer, alsof ze alle verdriet weg wil neuken. En dan komt ze klaar.

Eva en Luna varen samen in een boot door de Oudegracht. Ze hebben een glas whisky in hun hand en hangen slap van de lach over de reling. De boot zit vol mensen die plezier maken. Ineens zit Eva zelf achter het stuur. Terwijl ze onder de brug door vaart, kijkt ze achterom. Is dat Luna die daar zit met die zwarte, lange jurk en die zwarte hoge hoed op? Eva vaart door als ze gezang achter zich hoort. Iedereen is stil. Het is Luna die zingt. Mensen op de brug en langs de gracht blijven staan. Ook alle voorbijgangers luisteren. Eva krijgt er kippenvel van. Luna zingt steeds luider. Auto's stoppen en chauffeurs stappen uit en kijken in het water. En dan helt de boot naar rechts. Het lijkt alsof iemand eraan hangt. De boot helt steeds meer naar rechts. Luna blijft zingen en dan slaat de boot om. Eva valt in het water. Proestend komt ze boven. Ze hoort Luna gillen. 'Eva, help!' Haar gegil galmt door de hele stad. De kerkklokken beginnen te luiden. Eva ziet waarom Luna zo gilt. Remco duwt haar onder. Hij wil haar verdrinken. Iedereen kijkt ernaar, maar niemand doet iets. Eva probeert Luna vast te pakken, maar Remco trapt haar weg. Ze wil gillen, maar er komt geen geluid uit haar keel. Badend in het zweet wordt ze wakker. Ze stapt uit bed en houdt haar gezicht onder de kraan. Daarna loopt ze de gang op en gaat naar de wc. Als ze van de wc komt, ziet ze licht onder Luna's deur uit komen. Ze doet hem open. Remco! Met een klap slaat ze de deur dicht, rent haar kamer in en draait de deur op slot. Met bonkend hart blijft ze met haar rug tegen de deur staan. Wat moet Remco midden in de nacht in Luna's kamer?

5

Eva zit in de collegezaal, maar ze kan haar aandacht er niet bij houden. Ze kan maar aan één ding denken: Remco. Ze heeft hem toch echt gezien vannacht, maar hoe kwam hij in Luna's kamer? De deur zat op slot. Luna heeft haar sleutel teruggevraagd toen ze het had uitgemaakt met Remco. Eva heeft de sleutel zelf nog uit Luna's brievenbus gehaald.

Ze neemt vanmiddag vrij. Het heeft toch geen zin om hier te zitten. Ze is doodmoe. Bovendien wordt Luna's kamer straks leeggeruimd. Luna's vader heeft een bestelbus gehuurd. Eva wil er absoluut bij zijn. Ze moet er niet aan denken dat ze uit college komt en Luna's kamer leeg aantreft. Ze denkt aan Luna's beer. Wat zou ze die graag willen hebben. De vorige keer heeft ze het niet durven vragen aan Luna's moeder, maar Bart zei laatst dat hij dat heel dom van haar vindt. 'Die moeder komt er misschien helemaal niet op dat jij die beer wilt hebben. Wie weet belandt hij ergens op zolder. En stel dat ze er wel aan hecht en ze wil hem niet missen, dan hoor je het wel. Luna's moeder lijkt mij niet iemand die niet voor zichzelf durft op te komen.'

Bart heeft gelijk, soms is ze ook wel te bescheiden. Ze weet zeker dat Luna het fijn zou vinden als Beer de rest van haar leven bij haar blijft.

Eva zit op de fiets als haar mobiel gaat. Ze ziet dat het Luna's moeder is.

'Hi Eva, we hebben zo'n pech. Mijn man en ik hebben deze week buikgriep gekregen. We hoopten dat we vandaag beter zouden zijn, maar we voelen ons nog ziek. We kunnen de spullen vandaag onmogelijk halen. Maar Remco belde gisteravond. De schat bood aan het van ons over te nemen. Ik hoop niet dat je het erg vindt dat we er niet bij zijn, maar het is overmacht. Straks staat Remco voor je huis met een bus, het kan zelfs zijn dat hij er al is.'

Aha, hij heeft dus een sleutel van Luna's ouders gekregen, denkt Eva. Ze begon al te denken dat ze het allemaal had gedroomd, maar hij was er dus wel! Was hij soms gisteravond Luna's spullen aan het inpakken? Het idee dat ze de kamer met Remco moet leeghalen, staat haar tegen. Dat is wel even iets anders. Ze moet er even aan wennen, vooral omdat ze er nog steeds niet helemaal uit is of hij iets met Luna's dood heeft te maken. Na gisteravond voelt ze er weinig voor om alleen met hem te zijn. Zal ze Fleur vragen? Maar dan herinnert ze zich dat Fleur er niet is.

Luna's moeder onderbreekt Eva's gedachten. 'Je neemt mee wat je graag wilt hebben, hè meid, en dan spreken we elkaar later wel.'

'Eh... ik heb nog een onbescheiden vraag. U moet het eerlijk zeggen, hoor, maar ik zou graag Luna's beer willen hebben.'

'Nou kind, goed dat je het zegt. Dan is die toch voor jou?'

'Meent u dat echt?'

'Zeker, meisje. Neem hem gerust mee.'

'Als u er ooit spijt van krijgt, dan moet u het zeggen, hoor.'

'Eva, voel je niet bezwaard. Het is prima. We weten toch hoeveel jij voor Luna hebt betekend? Ik hoor het wel als de bus onze kant op komt.'

'Zeker.'

Als Eva verder fietst, bedenkt ze opeens dat Remco niets met de dood van Luna te maken kan hebben, want dan zou hij dit toch nooit doen? Als je je ex het raam uit hebt geduwd, durf je zo'n kamer toch niet meer in? Of juist wel? Maar dat lijkt haar wel heel bizar. Ze moet het uit haar hoofd zetten. Bart zei toch ook dat Remco zich vergist moest hebben toen hij beweerde dat hij Luna een week voor haar dood voor het laatst had gesproken? Ze hadden Luna nog maar net begraven. Vind je het gek dat hij in de war was? Luna is gewoon uit dat kloteraam gevallen; ze zal het moeten aanvaarden. Luna zocht wel vaker de grenzen op. 's Nachts na een feestje liep ze soms helemaal in haar eentje naar huis en dan nog het liefst door het park. Knetter, maar er viel niet over te praten, net als over dat rotraam. Ooit moest het misgaan. Maar zo verschrikkelijk mis, dat had ze nooit gedacht.

Als Eva haar straat in rijdt, staat de bus er al. Remco komt met een doos boeken naar buiten. Het is maar goed dat hij niet weet waarvan ze hem heeft verdacht.

Remco zet eerst de spullen in de bus en dan komt hij naar haar toe. Hij geeft haar een kus.

'Hi, ik kom je helpen,' zegt Eva.

'Gelukkig,' zegt Remco, die met Eva het huis in loopt. 'In je eentje is het wel heel heftig.' Zonder dat hij iets over afgelopen nacht zegt gaan ze Luna's kamer in. 'Haar knuffelbeer hoef je niet in te pakken, die gaat met mij mee,' zegt Eva.

'Ik wilde nog voorstellen aan Luna's ouders om Beer met Luna mee te laten gaan,' zegt Remco ineens.

Wat lief, denkt Eva. Dat is niet eens bij haar opgekomen. Zoiets liefs bedenk je niet als je je ex het raam uit hebt geduwd, of zegt hij dat expres?

'Het was wel mooi geweest,' beaamt Eva.

'Ja, dat vond ik zelf ook, maar helaas heb ik het er verder niet meer over gehad. Er gaat ook zoveel door je heen. Eigenlijk ben je een beetje ontoerekeningsvatbaar, vind je niet?'

Eva knikt. 'Ik doe ook steeds domme dingen. Ik jank om het minste of geringste, zo ben ik helemaal niet. En ik heb nachtmerries. Ik zie soms dingen die er niet zijn, vannacht nog.' Ze wacht hoe hij zal reageren.

'Tja,' zegt hij en hij houdt een cd omhoog. 'Deze ken je wel, hè? Dat was onze lievelings-cd. Toen Luna nog verliefd op me was, bedoel ik.' Ze ziet dat het hem moeite kost zijn tranen weg te slikken.

'Neem mee.'

'Denk je dat dat mag?'

'Natuurlijk wel. Jij doet die hele klus voor Luna's ouders. Trouwens, niemand zit op die cd te wachten en jij hebt er mooie herinneringen aan.'

Eva haalt de foto's van de muur, en het schilderij met de eenhoorn erop. Ze kijkt naar Remco. Hoe had ze kunnen denken dat hij iets met Luna's dood te maken zou kunnen hebben? Remco heeft gelijk, zij is ook ontoerekeningsvatbaar. Maar het kan ook een act van hem zijn, dan is hij wel heel listig. Terwijl ze inpakt, ziet ze hoe zorgvuldig Remco met Luna's spullen omgaat. Ze verwacht elk moment dat hij haar vraagt waarom Luna het zo plotseling had uitgemaakt, maar dat doet hij niet. Zou ze het hem vertellen? Van Luna's gevoel voor meisjes? Het zou het wel makkelijker voor hem maken om te accepteren dat Luna het had uitgemaakt. Of juist niet? Remco kan zich ook bedrogen voelen, omdat hij verkering met een lesbo heeft gehad, zo'n mannetje is het wel. Hij zou het waarschijnlijk nooit iemand durven vertellen.

'Even een break,' zegt Eva een tijdje later als de meeste spullen in de auto staan. Ze had niet gedacht dat ze zo goed konden samenwerken. Het inpakken ging best snel.

Remco kijkt bezorgd naar het bed. 'Dat wordt nog een hele klus, dat ding moet helemaal uit elkaar.'

'Nou en? Ik heb wel gereedschap.'

'Eerst maar een biertje,' zegt Remco.

'In de koelkast staat bier. Ik kom zo. Ik maak dit even af.'

Remco gaat naar Eva's kamer. Eva vult de laatste doos en dan gaat ze ook naar haar kamer. Remco zit met een biertje in haar stoel.

Hij strijkt met zijn hand over zijn hoofd. 'Ik vraag me af wanneer we ons allemaal weer een beetje normaal voelen. Ik ben bang dat het lang kan duren. Heel lang. Ik ben mezelf niet. Gisteravond in het café kwam er een meid naar me toe, echt een lekker ding. Normaal zou ik er wel werk van hebben gemaakt, maar nu deed het me niks, helemaal niks. Zulke dingen bedoel ik. Volgende week moet ik mijn scriptie inleveren, maar ik hoef er niet eens aan te beginnen. Mijn geheugen is net een zeef. Ik kan me niet concentreren. Merk je het niet aan me?'

'Nee,' zegt Eva. Ze vindt het maar een raar gesprek. Wat wil hij hiermee zeggen? Nu kan ze te weten komen of hij heeft gelogen tegen haar. 'Eigenlijk heb ik wel iets gemerkt,' zegt ze aarzelend, 'op de begrafenis. Toen in de koffiekamer, weet je nog? We stonden even te praten, of ben je dat vergeten?'

'Dat weet ik nog wel,' zegt Remco lachend. 'Hoezo merkte je iets aan me? Zei ik iets mafs?'

Nu komt het, denkt Eva. Als hij maar niet pissig wordt. Ze probeert het zo rustig mogelijk te zeggen. 'Ik vroeg wanneer jij voor het laatst met Luna had gebeld en toen zei je een week voor het ongeluk, maar ik heb...'

'Wat is daar gek aan?' onderbreekt Remco haar. 'Dat klopt. Zulke dingen vergeet ik niet, hoor. Een week voor het ongeluk heb ik Luna voor het laatst gebeld. Wie had kunnen denken dat dat de allerlaatste keer zou zijn?' Zonder zijn bier op te drinken staat hij op en loopt naar de deur. 'Ik ga weer aan het werk.'

Eva staat voor het raam in haar kamer als Nathalie binnenkomt.

'Jezus, Eef, ik kom net van Luna's kamer. Wat is het daar afschuwelijk leeg. Luna is nu zo definitief vertrokken.'

Eva knikt afwezig.

'Sorry.' Nathalie gaat naar haar toe. 'Ik denk alleen aan

mezelf. Jij hebt die verdrietige klus moeten klaren. Het was zeker heel moeilijk?'

Eva loopt naar haar bed en gaat zitten. 'Geloof jij dat het een ongeluk was?'

Nathalie gaat naast haar zitten en kijkt haar verbaasd aan. 'Waar heb je het over? Waarom vraag je dat opeens?'

'Je geeft geen antwoord,' zegt Eva. 'Ik vroeg of jij zeker weet dat het een ongeluk was.'

'Hoe kan ik dat nou zeker weten? Ik was er niet bij. Maar ik ga er wel van uit, ja. Denk jij soms dat Luna zichzelf... Nee, daar was ze toch helemaal niet het type voor.' Nathalie schrikt. 'Of heb je iets gevonden tussen haar spullen dat je daar nu aan denkt?'

'Ik heb het niet over zelfmoord,' zegt Eva. 'Maar misschien was het wel geen ongeluk.'

'Sorry,' zegt Nathalie. 'Ik vind je wel een beetje vaag.'

'Remco heeft samen met mij Luna's kamer leeggehaald. Ik móést weten hoe het nou zat met dat laatste telefoontje, dus ik heb hem weer gevraagd wanneer hij Luna voor het laatst had gebeld. Een week voor het ongeluk, zei hij. Er was geen enkele twijfel. Dus het kwam niet omdat hij die dag van de begrafenis in de war was. Hij heeft heel bewust tegen mij gelogen, voor de tweede keer. Waarom zou hij erover liegen?'

Als Eva ook vertelt dat Remco laatst informeerde naar Luna's mobiel rilt Nathalie even. 'Shit. Ik weet niet of Remco er iets mee te maken heeft, maar het is wel vreemd, heel vreemd zelfs.' Ze kijkt Eva aan. 'Dus hij zei dat hij het zeker wist?'

Eva knikt. 'Hij zei dat hij nooit had gedacht dat het de allerlaatste keer zou zijn.'

'Werd hij rood of zo? Of ongemakkelijk? Kon je iets aan hem merken?'

'Hij stond op en liep weg.'

'Wat zegt Fleur?'

'Fleur weet het nog niet. Bart ook niet. Jij bent de eerste aan wie ik het vertel. Snap je hoe ik me voel?'

'Gadverdamme,' zegt Nathalie. 'Ik krijg er kippenvel van. Dit wil ik niet. Het was al zo erg dat het een ongeluk was, maar dit...'

'Luguber, hè?' zegt Eva. 'En toen kon ik Luna's bed ook nog met hem uit elkaar halen.'

'Je hebt toch niks gezegd?'

'Nee, daar was ik veel te bang voor. Misschien heeft hij er helemaal niks mee te maken, maar toch is het raar. Het kan dat hij...'

'Eef, hou op! Het idee alleen al... Laten we hopen dat het niet waar is. En nu?' vraagt Nathalie. 'We zullen hier toch iets mee moeten.'

'Naar de politie gaan heeft geen zin,' zegt Eva. 'Ik heb er al aan gedacht, maar we hebben geen enkel bewijs. Hij heeft een alibi. Hij was op dat studentenfeestje bij hem in de flat.'

'O, jullie zitten hier?' Fleur komt binnen. Ze ploft naast Eva neer op het bed en slaat een arm om haar heen. 'Jij bent zeker kapot na die klus?'

'Eva heeft Remco weer gevraagd wanneer hij Luna voor het laatst heeft gebeld,' zegt Nathalie. 'En hij blijft beweren dat het een week voor het ongeluk was.'

'Dat klopt dus niet,' zegt Fleur.

'Wij vragen ons af waarom hij erover liegt,' zegt Eva. 'Hij kan toch makkelijk zeggen dat hij haar vlak voor het ongeluk nog heeft gesproken?'

'Heel vreemd,' zegt Fleur. 'Hij heeft dus iets te verbergen, dat is duidelijk.'

'Juist,' zegt Eva. 'Misschien was het wel geen ongeluk van Luna.'

'Je bedoelt dat Remco...'

'Ja,' zegt Nathalie, 'ik vind dat we het moeten uitzoeken.'

'Ik snap jullie redenatie wel,' zegt Fleur. 'Maar er kan natuurlijk een totaal andere reden zijn waarom hij het verzwijgt. En trouwens, hij was toch op dat feest? En daar komt ook nog bij dat ik niets heb gehoord. Ik was thuis, ik had geen muziek op, ik zat te studeren. Normaal hoor ik dan alles op de gang. Elke deur. Dan had ik toch iets moeten horen? Ruzie of zo? Sorry, ik moet gaan, ik heb een skype-afspraak.' Fleur staat op en loopt de kamer uit.

'Je hebt wel bewijs,' zegt Nathalie opeens tegen Eva. 'Je hebt Luna's mobiel.'

'Vind jij dan dat ik naar de politie moet gaan?'

'Ja,' zegt Nathalie.

'Ik zal erover nadenken,' zegt Eva.

Als Nathalie weg is, loopt Eva naar de tafel. Waar is Luna's mobiel? Ze had hem toch op haar tafel gelegd? Ja, vanochtend had ze hem nog zien liggen. Ze schuift alles opzij en kijkt ook onder de tafel, maar ze ziet hem nergens. Zou Remco hem hebben gepakt toen zij nog aan het inpakken was?

6

Nathalie had het al opgegeven ooit nog iets van de drummer te horen als haar mobiel gaat.

'Hi, met Tony. We zijn met de band in Utrecht, vanavond moeten we hier spelen. Ik heb kaartjes voor je.'

'Super!' zegt Nathalie. 'Kan ik er vier krijgen?'

'Tuurlijk. Kan ik je ergens zien?' vraagt Tony.

'Eh, ik heb vanmiddag vrij. Laten we in King afspreken. Ik sms je het adres wel even, oké?' Ze spreekt een tijd af en hangt op. Wauw! Ze kunnen gratis naar een concert. Dat heeft ze toch maar mooi geregeld. Ze loopt Eva's kamer in.

'Hij heeft gebeld!'

'Wie?' Eva loopt onrustig door haar kamer heen en weer.

'Ik heb bij King afgesproken met Tony. Dan krijg ik kaarten voor het concert. Jij gaat ook mee, hoor.'

'Nathalie, ik weet zeker dat Remco Luna's mobiel uit mijn kamer heeft gejat. Gisterochtend had ik hem nog, voor Remco op mijn kamer was geweest. Ik heb net weer mijn hele kamer doorzocht, maar het mobieltje is echt weg.'

'Eva,' zegt Nathalie, 'jij zit alleen maar op je kamer aan enge dingen te denken. Sinds de begrafenis ben je nog nergens heen geweest, alsof je jezelf moet straffen. Dat kan zo toch niet blijven? We gaan vanavond naar een concert en jij gaat mee. Het komt goed uit, want Fleur kan volgens mij ook.'

'Wat nou enge dingen? Ik heb mijn hele kamer overhoop gehaald en het mobieltje niet gevonden. Het kan niet anders of hij heeft het gepikt.'

'Dat zoeken we later wel uit,' zegt Nathalie. 'Dan help ik je. Maar nu moet je er even uit, hoor je me? Je hebt het hartstikke nodig, dat zie ik toch aan je.'

Eva denkt na. Nathalie heeft wel gelijk. Ze zit maar te piekeren over het ongeluk van Luna. Ze kan er niet eens meer van slapen, zo erg houdt het haar bezig. Ze merkt zelf ook wel dat haar gedachten rondjes draaien. Het is goed als ze even iets anders doet. 'Oké,' zegt ze.

'Je moet straks ook meegaan naar King. Dan zie je hem.'

'Ik ben aan het studeren, Nat.'

'Alsjeblieft, Eva. Je hebt nog nooit zo belachelijk lang aan één tentamen gezeten. Jij hebt echt wel een voldoende, al doe je nu helemaal niets meer.'

'Ben je verliefd op die gast?' Eva kijkt haar aan.

'Nee, totaal niet, gewoon voor de fun. Ik wil niks met hem.'

'Waarom moet ik hem dan zien?'

'Ik wil weer eens samen lachen, Eva. En als ik jou meeneem is het niet zo serieus.' Op dat moment krijgt Nathalie een sms'je van Tony. 'Ik kom met Jim,' leest ze hardop voor. 'O, zij zijn ook met z'n tweeën. Eva, doe het voor mij.'

'Ik heb geen rust om uren in de kroeg te zitten.'

'We blijven niet in de kroeg. We laten ze de stad zien.'

'Dat vind ik wel leuk,' zegt Eva. 'We gaan de Dom beklimmen.'

'Yes! En naar het Nijntje-museum,' zegt Nathalie met een grijns.

'Hoe laat heb je afgesproken?'

'Vier uur in King.'

'Ik blijf niet heel lang,' zegt Eva. 'Anderhalf uur of zo.'

'Je bent een schat.' Nathalie geeft Eva een kus. 'Anderhalf uur is lang genoeg voor die gasten.'

'Wat speelt die Jim?'

'Gitaar. Keigoed! Maar ik heb nauwelijks met hem gepraat. Tony versierde mij meteen.'

'Die Tony wil dus wel iets,' zegt Eva. 'Krijg je daar geen gedoe mee?'

'Welnee, het is een player. Wedden dat hij in elke stad iemand versiert? Ik wil naar dat concert.'

'Vooruit dan. Tien voor vier ben ik bij je.'

Intussen zit Fleur in de trein naar Amsterdam. Ze heeft twee adressen die ze gaat bezoeken. Een rechtenstudent in Amsterdam-Oost die in een huis woont met drie andere studenten. En een of andere Manon, die een zolder bewoont in Noord.

Op Amsterdam Centraal stapt ze uit en loopt de drukke hal door naar buiten. Ze heeft geluk. De bus naar Noord staat er nog en ze trekt een sprintje. Hijgend haalt ze haar ov-chipkaart langs het apparaat. Ze moet goed opletten, want ze hoeft niet ver. Als de bus rijdt, kijkt ze naar buiten. Wat is het toch een te gekke stad. Ze heeft best zin om hier te wonen.

Tien minuten later loopt ze door een nauw straatje. Erg aantrekkelijk is het niet. Als ze langsloopt, gaan er een paar gordijnen opzij. Maar het gaat haar om de woonruimte. Als die mooi is, dan maakt de straat niks uit. Ze hoeft er alleen maar doorheen te fietsen. De kamer is belangrijker. Ze kijkt op de nummerborden. Het huis waar ze moet zijn ligt op een hoek, dat valt alweer mee. Ze drukt op de bovenste bel. De deur wordt opengetrokken. Ze loopt de trap op. Als ze langs drie hoog komt, gaat de deur open. Een vrouw neemt haar scherp op.

'Sorry,' zegt Fleur. 'Heb ik soms verkeerd gebeld? Ik moet boven zijn.'

'Ja, op zolder,' zegt de vrouw. 'Bij Manon. Ze is onze huurster. Ik kijk altijd even wie er bij haar naar boven gaat. Je wilt toch weten wat voor volk er over de vloer komt, hè?' Ze neemt Fleur van top tot teen op. 'Je komt zeker voor de kamer.'

Fleur knikt.

'Je gaat hier toch niet met je vriend wonen, hè? Dat moet ik niet hebben.'

'Ik ben single,' zegt Fleur.

'Ook geen onenightstands boven ons hoofd.'

Wat een mens, denkt Fleur als de vrouw de deur dichtslaat. Eigenlijk hoeft ze die zolder helemaal niet meer te zien. Het is haar veel te benauwd. Als je gek wilt worden, moet je bij zo'n bemoeial gaan wonen. Ze heeft vast een sleutel van de zolder en dan staat ze ineens bij je binnen.

'Hi.' Boven aan de trap staat een aardige meid. Fleur heeft medelijden met haar. Hoe lang zou ze hier al zitten?

'Ze heeft je zeker van alles gevraagd,' zegt Manon.

'Ik snap dat je hier weg wilt, wat een type.' Fleur kijkt de zolder rond. Het ziet er prima uit, maar ze piekert er niet over.

'Sorry,' zegt ze. 'Je woont hier mooi, maar dat mens!'

'Ik snap het wel,' zegt Manon. 'Jij bent vast bijna afgestudeerd. Ik kwam hier toen ik net op kamers ging en dan ben je er nog aan gewend dat ze zich met je bemoeien.'

Fleur moet lachen als ze weer buiten staat. Dag, denkt ze. Hou je zolder maar, zo mooi is Noord nou ook weer niet.

Het tweede adres lijkt haar meteen veel beter. Het is wel in Oost, maar dat heeft ook zijn charmes. Ze hoeft heus niet op een van de grachten te wonen tussen de yuppen. Liever niet zelfs.

Ze ziet het meteen als ze het huis binnenkomt, een lekker hip huis. Het lijkt op hun eigen huis. De jongen laat haar de kamer zien.

'Super,' zegt ze. Er zit ook nog een klein tuintje bij. Wat heeft ze een mazzel!

Hier hoeft ze niet lang over na te denken, het voelt gewoon goed; de ruimte, de locatie, de sfeer.

Hij neemt haar mee naar de gezamenlijke keuken. 'Kijk niet naar de troep,' waarschuwt hij.

Fleur lacht. 'Daar ben ik wel aan gewend.'

'We wonen hier met z'n vieren, dat weet je al. Helaas zijn de anderen er niet, anders kon ik je voorstellen. Koffie?'

'Graag.'

Hij vist twee vieze bekers tussen de berg afwas uit en houdt ze onder de kraan.

Ze kijkt rond. Op een prikbord hangen foto's. Fleur

blijft staan. Ze kijkt naar een foto die in de keuken moet zijn gemaakt. Als ze dichterbij komt, gaat er een schok door haar heen. 'Woont hij hier ook?' Haar stem slaat over. Ze voelt dat ze trilt.

'Ja, dat zijn wij met z'n vieren. Elke vrijdagavond feest, dat zal ik wel missen.'

Weg! denkt Fleur. Ik moet hier zo snel mogelijk weg. Ze heeft het gevoel dat haar adem wordt afgesneden en het zweet breekt haar aan alle kanten uit.

'Sorry,' zegt ze. 'Dit is toch niks voor mij. Ik zoek verder.' Ze loopt de keuken uit en rent naar buiten. Als ze halverwege de straat is, blijft ze staan. Alles draait voor haar ogen. Ze grijpt een hek vast en moet kotsen.

Nathalie wil niks met Tony, dat weet ze zeker. Eerst leek het haar nog wel interessant, een muzikant. Maar nu taalt ze er niet naar. Het kwam vast door de roes van het North Sea Jazz Festival. De afterparty, al die glamour. Maar wat moet ze met een gast uit L.A.? Ze vindt hem niet eens sexy, anders was ze nog wel in geweest voor een onenightstand. Laatst heeft ze ook met een jongen gevreeën. Ze was echt toeter, anders was ze er nooit aan begonnen. Het was op een feest. Het begon met zoenen en ineens lag ze ergens met hem in een bed. Toen ze met een vette kater wakker werd en hem zag, schrok ze zich dood. Ze heeft zich aangekleed en is weggegaan. Thuis heeft ze uren onder de douche gestaan. En het stomme was dat ze niet eens meer wist of ze het wel veilig had gedaan. Haar vriendinnen waren razend. Wie doet er nou zoiets stoms? Zij naar de GGD. Ze kneep 'm heel erg. Na een week kon ze de uitslag op internet lezen. Nog nooit had een week zo lang geduurd. Gelukkig was alles in orde. Zo stom is ze dus nooit meer.

Als ze om vier uur met Eva de King in gaat, zijn de jongens er al.

'Hi.' Tony komt naar hen toe.

'Dit is Eva,' zegt Nathalie. Jim komt er ook bij staan.

'We blijven hier niet, hoor,' fluistert Eva als ze naar het tafeltje lopen. 'Ik wil naar het Nijntje-museum.'

'Komt goed,' zegt Nathalie.

Ze gaan aan een ronde tafel zitten. Nathalie zit tussen Tony en Jim in. Ze bestellen vier biertjes.

'Word jij ook fotograaf?' vraagt Tony aan Eva.

Dat hij het heeft onthouden, denkt Nathalie.

'Nee,' zegt Eva. 'Ik studeer psychologie.'

'Ze weet alles van de psyche,' zegt Nathalie lachend.

'O, dan heb ik een interessante vraag,' zegt Tony.

'Geen gratis consult nu, vriend.' Jim grijnst.

'Stil nou even, man,' zegt Tony serieus. Hij kijkt Eva aan. 'Ik ben drummer. Ik beuk al jaren op mijn drumstel. Ik doe niets liever. Denk jij dat dat iets met mijn jeugd heeft te maken?'

Jim zucht. 'Heb je hem weer over zijn jeugd.'

'Ik heb toevallig een klotejeugd gehad,' zegt Tony. 'Mijn vader heeft ons altijd onderdrukt.'

'Heel interessant,' zegt Eva. 'Toevallig heb ik morgen een tentamen over hoe je jeugd doorwerkt op je leven later als volwassene.'

Eva vindt het echt interessant, dat ziet Nathalie wel.

'En jouw jeugd?' vraagt Jim als Eva en Tony druk in gesprek zijn.

'Goed,' zegt Nathalie. 'Ik ben heel vrij gelaten. We mochten alles.'

'Ik heb ook topouders,' zegt Jim. 'Mijn moeder had al twee jongens van tien en elf toen ze ging scheiden. Ze werd opnieuw verliefd en uit dat huwelijk ben ik geboren. Ik ben hun liefdesbaby.'

'Wanneer wist jij dat je muzikant wilde worden?' vraagt Nathalie.

'Al van jongs af aan,' zegt Jim. 'Ik wilde gitaar spelen, maar mijn ouders kochten een viool voor me. Toen heb ik een tijdlang gitaar op mijn viool gespeeld. Toen begrepen ze wel dat het menens was met die gitaar en kreeg ik er een.'

'Goed dat het zo duidelijk was,' zegt Nathalie. 'Ik wist het helemaal niet. Ik heb eerst psychologie gestudeerd, maar dat was niks voor me en toen ben ik naar de foto-academie gegaan. Nu heb ik het helemaal gevonden. Maar dat ik eerst psychologie heb gedaan is ook niet erg, want daar heb ik Eva ontmoet.'

Even valt het stil. Ze kijken elkaar aan. Nathalie voelt een spanning die ze niet bij Tony voelde. Jim raakt haar. Ze bestellen nog een biertje, en nog een. Terwijl Tony zijn ziel en zaligheid aan Eva vertelt, liggen Jim en Nathalie slap van de lach. Ik sloof me voor hem uit. Ze schrikt zelf van die gedachte. Ik wil dat hij me leuk vindt. Ze kijkt naar hem. Hij is heus niet zo knap, denkt ze, maar wel grappig en sexy.

Eva kijkt op de klok. 'Shit! Ik moet gaan, morgen heb ik tentamen.' Ze springt op.

'Je hebt de hele middag gestudeerd,' zegt Jim lachend en hij wijst naar Tony.

Als Eva weg is, vraagt Tony: 'Weet jij een wasserette hier? We hebben geen schone T-shirts meer en morgen moeten we in Nice optreden.'

'Hebben ze geen wasservice in jullie hotel?' vraagt Nathalie.

'Ja,' zegt Jim, 'maar je wilt niet weten wat het kost. Volgens mij stomen ze alles. Vijftig euro voor een paar T-shirts. Voor dat bedrag ga ik wel even naar de wasserette.'

'Jullie kunnen je spullen wel bij ons thuis wassen,' biedt Nathalie aan.

'Service,' zegt Tony.

Ze lopen langs het hotel. Het ziet er inderdaad heel chic uit. Terwijl Tony en Nathalie buiten wachten, gaat Jim naar binnen. Na een paar minuten komt hij terug met een zak wasgoed.

Het voelt heel raar. Nathalie wil veel liever naast Jim lopen, maar Tony wringt zich tussen hen in.

Als ze langs een pinautomaat komen, blijft Nathalie staan. 'Even pinnen,' zegt ze.

Achter zich hoort ze de jongens ruziemaken. Ze is al klaar, maar ze blijft toch maar staan. Het gaat er hard aan toe. Ze weet niet waar het over gaat, maar Tony is woest.

'Ik ga terug naar ons hotel,' zegt Tony als ze zich omdraait. 'Jim neemt de was wel mee.'

'O,' zegt Nathalie, 'tot morgen dan.' Ze vindt het heel kinderachtig van zichzelf, maar ze is wel blij. Als ze doorlopen pakt Jim haar hand. Midden op straat blijven ze staan. Ze pakken elkaar vast en zoenen.

Dit is echt heel lang niet voorgekomen, denkt Nathalie als ze naar de Oudegracht lopen. Eigenlijk heeft ze zich nog nooit zo tot een jongen aangetrokken gevoeld. Ze weet nu al wat er gaat gebeuren als ze straks bij haar thuis zijn. Ze voelen het alle twee.

'Superplek,' zegt Jim als ze over de Oudegracht lopen.

'Ik heb zo'n mazzel dat ik hier kon wonen,' zegt Nathalie. 'Eva woonde hier al een tijdje toen er een kamer vrijkwam. Echt kicken hoor, midden in het centrum.' Als ze bij het studentenhuis aankomen, zet Fleur net haar fiets op slot.

'Wat heb jij?' vraagt Nathalie als ze Fleurs opgefokte gezicht ziet.

'Niks,' zegt Fleur. Ze ziet Jim niet eens en loopt door naar haar kamer. Nathalie haalt haar schouders op en gaat met Jim naar binnen.

'Mijn kamer ligt aan het eind van de gang,' zegt ze. 'Maar laten we eerst maar jullie was in de wasmachine doen.'

Een jaar geleden hebben ze een wasmachine en een droger van Luna's ouders gekregen. Ze waren er zo blij mee; nu hoefden ze nooit meer naar de wasserette. Ze dachten dat Luna's ouders de apparaten mee zouden verhuizen na Luna's dood, maar ze mogen blijven staan. Omdat de douche te klein is, staan de apparaten in de keuken. Het past net, de keuken is al niet zo groot. Eerst stond er een tafel; die hebben ze eruit gehaald. Niemand zat eraan te eten, er stond alleen maar rotzooi op. Als het aanrecht vol was, zette iedereen de troep op de tafel. Het was echt een bende. Ze hebben nu een kleine tafel staan.

'Netjes hier.' Jim kijkt naar het lege aanrecht.

'We moeten wel,' zegt Nathalie. 'We kregen last van muizen. Nu moeten we alles meteen opruimen.'

Jim maakt de tas open en stopt de vuile was in de wasmachine. Nathalie doet de zeep erin en zet het apparaat
aan. Als ze zich omdraait, kijkt ze in Jims ogen. Nathalie
voelt de kriebels in haar buik als ze zijn blik ziet. Hij pakt
haar vast en kust haar. Ze voelt zijn stijve pik door haar
kleren heen. Haar hart gaat tekeer van opwinding. Hij legt
zijn handen op haar billen en drukt haar nog steviger tegen
zich aan. Ze kreunt zachtjes en dan voelt ze zijn handen
onder haar rokje. 'Nee,' fluistert ze als hij haar slipje naar
beneden trekt, 'niet hier.' Maar van het idee dat ze in de
keuken staan, wordt ze alleen maar opgewondener. Hij tilt
haar op en zet haar op de wasmachine. Nog geen tel later
ligt haar slipje op de grond. Dan bukt hij en gaat hij met
zijn tong over haar schaamlippen.

'Ga door,' fluistert ze als ze een deur horen. Ze weet dat
er elk moment iemand binnen kan komen, maar ze wil
door. Terwijl hij omhoogkomt, voelt ze aan zijn rits. Ze
trekt de rits omlaag en houdt zijn stijve pik in haar handen. Dit kent ze niet, dat een jongen haar zo opwindt. Hij
haalt een condoom uit zijn zak en doet het om. Misschien
duurt het maar een paar seconden, maar voor haar gevoel
duurt het een eeuwigheid. Ze heeft nog nooit zo naar iemand verlangt. Als hij zijn stijve bij haar naar binnen
duwt, kreunt ze luid. De andere bewoners moeten haar
kunnen horen. De wasmachine beweegt heen en weer tot
ze klaarkomen. Hij tilt haar op en kust haar.

Ze werpen nog een blik in de wasmachine en dan pakt
ze zijn hand. 'We gaan naar mijn kamer.'

'Je slipje, niet goed voor de muizen.' Hij raapt het op en stopt het in zijn zak. Als ze in haar kamer zijn, gaan ze op haar bed zitten. Ze weet dat haar slipje nog in zijn zak zit, maar dat vindt ze juist spannend. Ze kent zichzelf echt niet terug. Hij doet iets met haar wat andere jongens nog nooit is gelukt. Ze kijkt naar hem. Hij draait een joint. Dat is nou precies waar ze zelf ook zin in heeft. Het is alweer een tijdje geleden dat ze voor het laatst heeft geblowd.

Het is hun middag. We hebben maar één middag, denkt ze. We moeten er nu van genieten. Vanavond is hij weg. Jammer dat hij uitgerekend helemaal in L.A. woont. Maar misschien voelt ze zich tot hem aangetrokken juist omdat hij zo ver weg woont. Ze hoeft zich helemaal niet af te vragen of hij wel bij haar past; al de vragen die er altijd zijn als ze een jongen ontmoet, doen er nu niet toe. Het is maar voor één keer.

Gelukkig doet hij geen valse beloftes. Het is gewoon zo, ze weten het alle twee. Na deze middag zien ze elkaar nooit meer. Ze wil ook helemaal geen vriend aan de andere kant van de wereld. Ze moeten het er nu van nemen. Ze neemt een hijs van de joint. Ze voelt zich helemaal op haar gemak bij hem. Ze vindt het een spannend idee dat ze geen slipje aanheeft. Hij gaat met zijn hand over haar been omhoog. 'Je bent een heel bijzondere vrouw.' Nathalie kust hem. Ze kunnen gewoon niet van elkaar afblijven. Hij geeft de laatste hijs van de joint aan haar en dan duwt hij haar achterover. Ze zoent hem heel heftig in zijn hals. En dan vrijen ze weer.

Na de vrijpartij loopt ze naar de keuken. De was is klaar en ze stopt hem in de droger. Een van de jongens die boven woont, komt de keuken in. Hij weet niet dat ik geen slipje aanheb, denkt ze.

'Nog drie kwartier,' zegt ze als ze haar kamer in komt, 'en dan is de was klaar.' Jim staat bij de cd-speler.

'Zie ik je vanavond nog na het concert?' vraagt ze.

'Sorry,' zegt hij. 'De bus staat klaar. We vertrekken meteen na afloop door de achteruitgang. De bus in. We moeten ons vliegtuig naar Nice halen.'

Ze kijkt naar de zuigzoen in zijn nek. Ze moet grinniken. Misschien heeft hij wel een vriendin. Wat weet ze van hem? Ze weet alleen dat hij sideman is van Angie Stone. Ze heeft ook geen zin om erover na te denken. Het is zijn probleem. Ze heeft een supermiddag. Jammer genoeg is er nog maar drie kwartier over.

'Is het niet vermoeiend om altijd te moeten reizen?'

'Doodvermoeiend,' zegt Jim grinnikend. 'Zie je het niet aan me? Vooral deze middag. Hoe hou ik het vol?' Hij zet een cd op en begint met haar te dansen. Ze dansen dicht tegen elkaar aan. Het voelt zo onnatuurlijk dat het straks voorbij zal zijn. Ze zal deze middag niet snel vergeten. Zal ze ooit een man vinden bij wie ze zoveel passie voelt als bij Jim? Of is het alleen maar omdat ze hem maar even ziet? Terwijl ze dansen gaat zijn hoofd omlaag. Hij gaat met zijn tong over haar tepels. Ze kunnen zo weer neuken. Dat hij dat kan, drie keer achter elkaar.

Eigenlijk wil ze niet eens meer naar het concert. Dit was het. Wat heeft ze eraan naar hem te kijken als hij speelt? Maar ze kan er niet onderuit. Ze heeft Eva met moeite overgehaald mee te gaan. Ze hebben vier kaarten. Bart en Fleur vraagt ze ook mee. Ze moet niet kinderachtig zijn. Ze wist waar ze aan begon. Het is een onenightstand, in het kwadraat dan, maar zo moet ze het bekijken. Meer zit er niet voor hen in. Waarschijnlijk is het daarom ook zo heftig. De muziek stopt. 'Shit!' Nathalie kijkt naar de cd-speler. Ze drukt op een paar knoppen, maar er gebeurt niets, wat ze ook doet. 'Hij is al vaker uitgevallen,' zegt ze, 'maar nu heeft hij het echt begeven.'

'Vervelend voor je,' zegt Jim. 'Maar ik moet gaan. Ik moet me voorbereiden op ons concert.'

'Vergeet je was niet.' Nathalie gaat hem voor naar de keuken. Nog een kus en dan loopt hij de deur uit. Ineens voelt ze zich toch een beetje in de steek gelaten. Ze zwaait hem ook niet uit. Weg is weg.

7

'Wat hebben wij mazzel gehad met onze vrijkaartjes,' zegt Fleur als het concert is afgelopen. 'Moet je zien, het is helemaal uitverkocht. Angie Stone is supergoed. Ze klappen nog voor de band.' Het concert heeft haar goed gedaan. Ze kon wel wat afleiding gebruiken na die shock van vanmiddag. Ze voelt zich alweer een stuk rustiger. In elk geval hoeft ze niet meer in Oost te kijken, ze wil die gast niet tegenkomen.

'Die Jim van jou is supergoed,' zegt Eva.

'Hoezo, die Jim van mij? Het is voorbij, jongens. Hij vliegt zo naar Nice en daarna naar L.A. Ik zie hem nooit meer,' zegt Nathalie treurig.

'Ah, liefje.' Eva slaat een arm om haar vriendin heen en geeft haar een kus. 'Je hebt wel van hem genoten, toch?'

Nathalie mompelt iets binnensmonds. Ze vindt het best moeilijk dat het avontuur voorbij is. Het liefst zou ze even snel backstage kijken, maar ze gaat hem niet stalken. Het is schluss, passé, voorgoed.

'Die gast speelt wel met heel veel passie gitaar,' zegt Bart.

'Niet alleen gitaar,' zegt Eva lachend. 'Ik dacht dat het aan mij lag, maar iedereen heeft jullie gehoord.'

'Nou, hoor...' Nathalie wordt rood.

'Zullen we nog iets drinken?' vraagt Bart.

'Goed idee,' zegt Nathalie. 'Een lekkere whisky. Ik hoef morgen helemaal niks, dus dat komt goed uit.'

'Die Tony is helemaal Luna's type,' zegt Fleur. 'Dat dacht ik de eerste keer meteen toen ik hem op de afterparty zag.'

Eva is de enige die zeker weet dat het niet waar is. Luna heeft het haar een tijd geleden toevertrouwd: ze had de laatste tijd meer belangstelling voor meisjes dan voor jongens, vooral na die vakantie op Ibiza, toen ze met een meisje had gezoend. Ineens kwam ze ermee. 'Ik moet je een geheimpje vertellen,' zo begon ze. 'Ik ben verliefd op iemand en het is heel lastig, want we zijn vriendinnen.'

'Nee!' Eva schrok. Ze dacht dat Luna op háár viel.

Ze hield heel veel van Luna, maar als vriendin. Ze heeft nooit de behoefte gevoeld met haar te zoenen.

'Je hoeft niet te schrikken,' zei Luna. 'Ik ben niet verliefd op jou. Ik ben op Fleur.'

'Op Fleur?' vroeg Eva. 'Wat lastig voor je.' Eva wist ook wel dat Luna geen enkele kans had. Fleur valt op jongens, daar is ze altijd heel duidelijk in geweest.

'Ik wil het tegen Fleur zeggen,' zei Luna.

Maar Eva vond dat ze dat niet moest doen. 'Fleur schrikt zich dood,' zei ze. 'Wat moet ze ermee dat haar vriendin verliefd op haar is? Het frustreert jullie vriendschap.'

'Nou en?' zei Luna. Ze had altijd de drang om alles eerlijk te vertellen. Maar Eva bleef erbij dat ze het stom vond. 'Je krijgt er spijt van. Je verpest de vriendschap. Die verliefdheid gaat wel weer over. Gewoon je mond houden.'

Maar de verliefdheid ging helemaal niet over. Het werd

eerder heftiger. Luna werd heel onrustig als Fleur erbij was. Ze gaat het zeggen, dacht Eva vaak, maar Luna heeft het toch niet gedaan.

Eva dacht er laatst nog over om het alsnog tegen Fleur te vertellen, maar ze doet het toch maar niet. Wat heeft het voor zin?

Met z'n vieren lopen ze de Vuurtoren in. Eva blijft staan.

'Wat is er?' Bart kijkt haar aan.

'Daar bij de bar,' fluistert ze. 'Julius en Ramon. Zo meteen is Remco er ook, daar heb ik geen zin in.'

'Ik zie Remco nergens,' zegt Bart, rondkijkend. 'En wat dan nog? Je zult hem wel vaker tegenkomen.'

Eva gluurt zelf ook het café rond, maar ze ziet Remco nergens.

'Allemaal een biertje?' vraagt Bart.

'Ik kom zo.' Fleur ziet iemand van haar studie.

'Ik neem een whisky.' Nathalie staat al bij de bar. Het ziet er niet naar uit dat ze zin heeft om te socializen.

Bart haalt voor hen tweeën een biertje.

'Hi, Eva.' Julius ziet haar en komt naar haar toe. Ramon komt er ook bij staan.

'Hi.' Bart geeft een biertje aan Eva. 'Proost.'

'Hoe gaat het met je?' vraagt Julius.

'Nou, niet makkelijk, hè Eva?' zegt Bart.

'Klote,' zegt Eva. 'Ik kan het nog steeds niet bevatten dat Luna er niet meer is. Haar kamer is leeg, er komt een ander in wonen. Zo bizar.'

'Remco heeft het er ook moeilijk mee,' zegt Julius.

Dat hoef ik niet te horen, denkt Eva.

'Hij was die hele dag al zo opgefokt,' zegt Ramon. 'De dag van het ongeluk, bedoel ik, alsof hij iets aanvoelde of zo. Jeetje man, we hadden dat feestje in ons huis en we zouden samen koken. We liepen op de markt, en Remco was er helemaal niet bij met zijn gedachten. "Wat heb jij?" vroeg ik. "Donder op!" snauwde hij. Hij kon echt niet normaal doen, de hele middag niet, je had zo ruzie met hem.'

'Jullie zullen ook wel zijn geschrokken,' zegt Bart. 'Jullie waren er natuurlijk bij toen hij het kreeg te horen. Jezus man, niemand had zeker meer trek?'

'We wisten het niet,' zegt Ramon. 'Aan het eind van de middag ging hij er opeens vandoor. "De mazzel," zei hij en weg was hij.'

'Wat?' Eva schrikt. 'Dus hij was niet bij jullie toen het gebeurde?'

'Nee.' Julius houdt een leeg glas op. 'Jullie nog een?'

'Graag,' zegt Bart, maar Eva heeft geen zin meer in bier.

'Waar was hij dan?' vraagt ze aan Ramon.

'Geen idee,' zegt Ramon.

Eva zet haar glas neer. Ze dacht dat Remco een alibi had. Ze wil het tegen Nathalie vertellen, maar die hangt met haar zoveelste glas whisky aan de bar. En Fleur is nog steeds in gesprek met haar studiegenoot. Ze wenkt Bart.

'Het klopt niet,' zegt ze als ze met z'n tweetjes zijn.

'Wat klopt niet?'

'Remco zat dus helemaal niet bij zijn vrienden.'

'Nou en? Eva, je bedoelt toch niet dat hij iets met het ongeluk heeft te maken?'

'Bart, denk nou even na. Hij verdwijnt ineens en zegt

61

niet waar hij heen gaat. En waarom was hij de hele dag al zo opgefokt?'

'Eva, nou moet je echt even normaal doen. Ben jij nooit opgefokt? Wat denk je nou eigenlijk precies? Dat hij bij Luna was toen ze uit het raam viel?'

'Hij heeft haar gebeld, vlak voor het ongeluk. Weet je nog? Hij stond op haar mobiel.'

'Eva, voor eens en voor altijd: Remco heeft niets met de dood van Luna te maken. Trouwens, hij was aan het joggen.'

'Hoe weet je dat?'

'Ik kom hem elke dag om dezelfde tijd tegen in het park.'

'Toen ook?'

'Hij zal er die dag vast ook wel hebben gerend, hij loopt daar altijd op dat tijdstip.'

'Wat lul je nou? Heb je zelf niet door dat je maar wat staat te lullen? Hij zou eten maken voor het feest in hun studentenhuis en ineens was hij ervandoor.'

'Eva, hou eens op. Ik heb het er helemaal mee gehad.'

'Hoezo, hou eens op?! Waarom verdedig je Remco?'

'Je speculeert!' Bart verliest duidelijk zijn geduld. 'Het was een ongeluk!' roept hij. 'Je moet hiermee stoppen, Eva.'

'Ik hou hier helemaal niet mee op.'

'Eva, je moet naar een psycholoog, hulp zoeken.'

'O ja? Er is er maar één die naar een psycholoog moet en dat ben jij. Je zou me moeten steunen. Maar nee, wat doe je? Je verdedigt een klootzak. Ze moeten je opnemen!' schreeuwt Eva en ze loopt het café uit.

Woedend komt Eva haar kamer in. Ze snapt niets van de reactie van Bart. Helemaal niets. Hij doet alsof ze ontoerekeningsvatbaar is door de dood van Luna. Natuurlijk is ze in de war, haar hartsvriendin is er niet meer, haar maatje. Maar ze kan nog wel normaal denken. Luna en zij hadden nog zoveel plannen. Als ze klaar waren met hun studie zouden ze samen een wereldreis gaan maken. Luna was de enige met wie ze dat zou aandurven. Ze konden elkaar voor honderd procent vertrouwen. Luna heeft haar nog nooit teleurgesteld. Alles deelden ze met elkaar, ook hun geld. Soms had de een helemaal niks, dan betaalde de ander. Toen ze gingen studeren vond Eva een kamer, maar Luna niet. Ze hebben samen op Eva's kamer gewoond. Het was een kleine kamer, maar het ging nog goed ook. Ze hadden nooit ruzie. Met welke vriendin lukt dat? Pas na een halfjaar kwam er een kamer vrij in het huis en die heeft Luna meteen gehuurd. Toen Luna nog geen verkering had en zij wel, gingen ze vaak met z'n drietjes uit. Bart vond het prima. Op een feest van Barts vrienden kwamen ze Remco tegen. Hij deed zich heel aardig voor. Hij viel meteen als een blok voor Luna, vanaf de eerste seconde. Echt liefde op het eerste gezicht. Eva vond het wel fijn voor Luna en hij leek haar wel aardig. Remco was wel erg bezitterig, dat merkten ze al heel snel, maar dat kan ook zijn geweest omdat hij altijd voelde dat Luna niet zo heel erg verliefd was. Hij had het zelfs moeilijk met Eva, omdat zij zo close met Luna was. Ergens kon Eva dat wel een beetje begrijpen. Luna vond het leuk met hem, maar ze verlangde nooit naar hem. Ze had niet wat Eva met Bart heeft. Nou ja, nu dus even niet. Hij laat haar gewoon vallen. Zijn eigen vriendin! Hij kan er gewoon niet tegen dat ze zich zorgen maakt. Hij wil dat ze weer vrolijk is, hij wil er geen last van hebben. Dat kan toch niet? Haar beste vriendin is er niet meer, daar is ze voorlopig niet overheen. En als hij daar niet tegen kan, hoepelt hij maar op. Maar ze beseft zelf ook wel dat ze onredelijk is. Bart was heel lief voor haar na het ongeluk. Hij kan er alleen niet tegen dat ze Remco verdenkt. Het is ook een gruwelijke gedachte. Ze wou dat ze Luna's mobieltje nooit had gevonden. Sinds ze twijfels heeft over het ongeluk, heeft ze geen rust meer. Het is al moeilijk genoeg te accepteren dat Luna is gevallen, laat staan dat ze zou zijn vermoord. Eva schrikt van haar eigen gedachten. Misschien is het ook helemaal niet waar en heeft Bart gelijk. Het moet niet ook nog eens tussen hen tweeën komen te staan, het is allemaal al zwaar genoeg. Ze wil Bart niet ook kwijtraken. Ze zag hem voor het eerst op de school van Nathalie. Luna was er ook bij. Ze gingen naar een project kijken van Nathalies jaargenoten. Ineens stond hij daar. Hij legde iedereen uit hoe ze op het idee van hun project waren gekomen en welk aandeel iedereen erin had gehad. Ze kreeg kriebels in haar buik toen ze naar hem keek. Hoe hij daar stond, zo sexy, en die lef van hem. Onder het praatje keek hij toevallig haar kant op. Ze werd knalrood, dat heeft ze niet zo gauw.

'Wie is dat lekkere ding?' vroeg ze aan Nathalie.

'O, Bart,' zei Nathalie.

'Is-ie single?' Ze moest het meteen weten.

'Ik geloof het wel,' zei Nathalie. Eva kon niet geloven dat Nathalie haar nooit over hem had verteld. Zo'n stuk!

Maar Nathalie valt op heel andere types, een beetje uitslo-
verige macho's. Dat vindt ze sexy.

Eva heeft zich die avond op hem gestort. Ze begon een
praatje met hem over zijn foto's, die ze heel indrukwek-
kend vond. Er ging een enorme kracht van uit, ze hadden
iets heel eigens.

'Ik zou van jou ook wel een reportage willen maken,' zei
hij.

Nou, daar heeft ze niet lang op hoeven wachten. Dezelfde avond nog heeft hij naaktfoto's van haar gemaakt. Halverwege hielden ze het niet meer en toen belandden ze in
bed. Eva vond dat hij lekker zoende, dat vindt ze altijd zo
belangrijk. Ze kan er echt op afknappen als een jongen zo
sloom zoent. Nou, hij niet. Hij vrijde ook lekker en nog
steeds is het goed in bed. Eva zucht. Vanavond heeft hij
zich als een eikel gedragen, dat zal hij zelf ook wel snappen.
Ze was zich doodgeschrokken toen ze hoorde dat Remco
niet op het feest was. Af en toe, als ze bang was van het
idee dat het misschien toch geen ongeluk was, stelde ze
zich gerust met de gedachte dat hij een alibi had, dat was
tenminste nog iets. Maar dat is dus niet zo. Er gaat een ijs-
koude rilling door Eva heen. Ze wil het Nathalie en Fleur
vertellen. Die zullen zich ook wel rot schrikken. Misschien
is er niks aan de hand, maar hij heeft nu wel alle schijn
tegen. En waarom die leugen? Er moet iets zijn. Ze moet
het uitzoeken, dat is ze aan Luna verplicht. Weet zij veel
wat Remco in het laatste telefoontje heeft gevraagd? Misschien heeft Luna wel gezegd dat het echt nooit meer goed
zou komen.

Misschien was het achteraf toch niet zo handig dat ik er

bij Luna op heb aangedrongen niets tegen Fleur te zeggen, denkt Eva. Dan was het naar buiten gekomen en had Remco het ook te horen gekregen. Dan had hij begrepen waarom ze het had uitgemaakt. Ik ben te bezorgd voor de vriendschap met Fleur geweest. Fleur had er misschien best mee om kunnen gaan. Fleur valt niet op meisjes. Ze heeft verteld dat ze de hele middelbareschooltijd verkering heeft gehad met dezelfde jongen, vanaf de brugklas. Ineens had hij het uitgemaakt. Ze was er kapot van. Eva moet er niet aan denken dat ze toen Bart al was tegengekomen. Luna en zij hebben juist heerlijk de beest uitgehangen in die tijd. Ze hebben weleens een wedstrijd gedaan wie het vaakst had gezoend in een maand. Als ze daaraan terugdenkt, is ze nu wel heel braaf.

Achteraf vond Luna het nooit zo geweldig om met een jongen te vrijen. Ook niet met Remco, dat moet hij hebben gevoeld. Toen ze gevoelens voor Fleur kreeg, heeft ze hem verteld dat het uit was. Ze zei niet waarom, maar dat ben je ook niet verplicht. Je hoeft geen verantwoording af te leggen, je moet een verkering toch gewoon uit kunnen maken? Bij Remco blijkbaar niet. Woedend was hij. Volgens de politie was het een ongeluk, maar Eva twijfelt daar steeds meer aan. Ze moet het uitzoeken. Dat is ze aan Luna verplicht.

Eva ijsbeert door haar kamer. Ze zet haar lievelings-cd op, daar wordt ze altijd rustig van. Ze moet nadenken. Voor de zoveelste keer ziet ze voor zich hoe het precies is gegaan. Op het tijdstip van het ongeluk was ze er zelf niet. Toen ze thuiskwam, stond de ambulance voor de deur. Een vrouw had Luna zien vallen. Ze had meteen 112 gebeld.

Het mens was helemaal overstuur. Ze zei tegen de politie dat ze niemand het huis uit had zien komen. Fleur was thuis toen het gebeurde, maar die had ook niemand op de gang gehoord. Ze zat te studeren. Ze had geen muziek op en toch heeft ze niets gehoord. De recherche heeft Luna laten onderzoeken, maar er waren geen sporen van geweld op haar lichaam. Ze hebben haar kamer ook onderzocht, maar niets zag er verdacht uit, daarom hielden ze het op een ongeluk. Maar daar is Eva nu niet meer zo zeker van. Zeker niet nu ze weet dat Remco geen alibi heeft. Misschien heeft hij Luna wel bedreigd. Hij kan heel makkelijk via de binnentuin zijn weggekomen en door de steeg die daarop uitkomt. Remco had een motief. Hij wilde haar terug. Luna heeft hem misschien verteld dat dat er niet in zat en toen is hij in paniek geraakt. De gedachte dat Luna zonder hem zou verdergaan heeft hij niet kunnen verdragen. Wat denkt Bart wel, met zijn gezeur over het feit dat ze ontoerekeningsvatbaar zou zijn? Ze is juist superhelder. Ze moet erachter zien te komen wat er precies is gebeurd. Als het echt zo is, als het waar is waar ze zo bang voor is, dan trekt ze het niet. Het idee dat haar liefste vriendin... Als dat zo is, krijgt Bart gelijk, dan moet ze naar een psycholoog. Dat kan ze nooit alleen verwerken. Ze rilt bij de gedachte. De deur van haar kamer gaat open. Ze hoopt dat het Bart is, maar het is Nathalie. Stomdronken strompelt ze binnen.

'Waar was jij nou opeens?' roept ze met dubbele tong. 'Je was zomaar weg, net als Jim. Iedereen gaat zomaar van me weg...'

Ze valt op Eva's bed neer.

'Ga maar lekker liggen.' Eva trekt Nathalie haar jas en schoenen uit en helpt haar naar haar bed. Ze heeft haar nog maar net ingestopt of Nathalie valt meteen in slaap. Eva kijkt naar haar vriendin. Dit is nou een heel normale reactie, denkt ze. Ze mist Jim en ze drinkt haar ellende weg. Maar hoe die Remco reageerde toen Luna het had uitgemaakt, dat was niet normaal. Maar zou hij zover zijn gegaan? Zou hij tot moord in staat zijn? Eva springt op. Ze weet ineens waar Luna's mobiel kan liggen. In het schaaltje met rommel op de vensterbank, daar heeft ze nog niet in gekeken. Ze schuift het gordijn opzij en dan blijft ze als versteend staan. Aan de overkant, onder de lantaarn, staat Remco. Hij kijkt naar het raam van Luna's kamer. Wat moet hij hier nou weer midden in de nacht? Hij ziet haar, maar hij kijkt totaal niet alsof hij zich betrapt voelt. Hij heeft iets in zijn hand. Het lijkt een mobiel. Ja, het is een mobiel. Zou het de mobiel van Luna zijn? Hij lacht vals. Eva gilt.

Even later stormt Fleur haar kamer in. 'Wat is er?'

'Remco... aan de overkant...'

Fleur loopt naar het raam. 'Waar?'

'Onder de lantaarnpaal.'

'Eef, ik zie niemand.' Fleur doet het raam open, steekt haar hoofd naar buiten, kijkt naar links en naar rechts, maar de straat is leeg.

8

Zodra Eva wakker wordt, kijkt ze op haar mobiel, maar Bart heeft niets van zich laten horen. Dat is niets voor hem, meestal is hij de eerste die contact opneemt als ze ruzie hebben. Hij heeft er dus echt de pest in. Ze had zelf ook een sms'je kunnen sturen, maar dat gaat haar net iets te ver. Hij is degene die zich belachelijk heeft gedragen, zij niet. Ze is haar liefste vriendin verloren aan een ongeluk dat misschien geen ongeluk was. Ze had ook haar mond kunnen houden, maar dat is toch niet normaal? Zoiets belangrijks moet je toch tegen je vriend kunnen zeggen? Ze gaat snel onder de douche. Ze wil op tijd voor haar tentamen zijn. Staat haar mobiel eigenlijk aan? Als ze klaar is met douchen checkt ze haar mobiel, maar die staat inderdaad gewoon aan.

'Au, mijn kop...!' Nathalie wordt kreunend wakker. 'Ik heb een megakater.'

Eva schiet in de lach als ze Nathalies gezicht ziet. Je kunt wel zien dat ze veel heeft gedronken. Ze pakt een paracetamol en een glas water. 'Als ik jou was zou ik maar blijven liggen,' zegt Eva. 'Zo kun je niet naar school.'

Maar ze hoeft helemaal niets te zeggen, want Nathalie slaapt alweer.

Eva kleedt zich snel aan, pakt een appel en haast zich de deur uit. Het is al laat, dus ze moet racen, wil ze op tijd zijn. Ze hoopt dat ze zich vandaag een beetje kan concentreren. Ze gaat nergens over inzitten, niet over Bart, niet over Remco en al helemaal niet over wat ze vannacht gezien denkt te hebben. Ze racet door de stad, maar alles zit tegen. Niet alleen moet ze voor elk verkeerslicht wachten, maar de spoorbomen gaan ook nog dicht als ze eraan komt.

Als ze de collegezaal binnenkomt, zit iedereen al aan het tentamen. Ze kijken allemaal op en staren haar aan. Ze weten allemaal wat er met Luna is gebeurd. Eva gaat gauw zitten en pakt haar spullen. Ze krijgt het tentamen van de professor uitgereikt en gaat aan de slag. Maar algauw dwalen haar gedachten af. Waar slaat het ook allemaal op? Die vraag kwelt haar al de hele tijd. Sinds Luna's dood betekent het allemaal niets meer. Alles lijkt veranderd nu Luna er niet meer is. Ze weet niet eens of ze haar studie wel wil afmaken, of ze nog wel psycholoog wil worden. De dood van haar vriendin heeft haar veranderd, ze voelt het aan alles, ze is niet meer dezelfde.

Ze heeft zin in koffie. Ze kijkt naar het vel papier voor haar. Ze heeft nauwelijks iets opgeschreven, terwijl ze zo hard had gewerkt. Ze levert haar tentamen in en loopt snel door de lange gang, de kantine in. Ze heeft geluk. Nel staat achter de bar. Eva mag haar graag. Ze is een echte Utrechtse, het hart op de tong. Alle studenten zijn dol op Nel. Ze is zo hartelijk. Nel kijkt op als Eva binnenkomt. 'Meisie, wat zie jij eruit. Je hebt ook wel wat meegemaakt. Verschrikkelijk, ik schrok me dood toen ik het hoorde. Zo'n jonge meid. Mij hoef je niks te vertellen, je liefste vriendin. Jij bent kapot, dat kan niet anders. Laat je maar verwennen door die Bart van je, dat heb je nodig. Doen hoor!'

'We hebben ruzie,' zegt Eva plompverloren.

'Hè nee, ook dat nog. Hoe krijgen jullie dat nou voor elkaar?'

Eva haalt haar schouders op. 'Ik praat steeds over Luna en ik pieker de hele tijd over het ongeluk. Hoe het is gegaan en zo.'

'En mag dat niet? Is hij jaloers?'

'Nee, dat is het niet. Ja, wat zal ik zeggen...'

'Laat maar, ik hoef het niet te weten. Ik snap het wel. Jij denkt aan het ongeluk, of ze pijn heeft gehad en zo. Mannen zijn daar heel anders in. Zwart, hè?' Ze schenkt koffie voor Eva in. Eva wil haar geld pakken. 'Nee lieverd, laat maar. Deze krijg je van mij. Ja meisie, je zult erdoorheen moeten. Ik weet hoe moeilijk het is.' Ze zet zuchtend de koffiekan neer. 'Vier jaar geleden is mijn zus omgekomen bij een aanrijding. Ik kon het niet bevatten. 's Morgens hing ze nog aan de telefoon en van het ene op het andere moment was ze er niet meer. Het deed zo'n pijn. Eerst was ik in shock, maar daarna begon het gepieker. Ik zag elke keer voor me hoe het was gebeurd en ik vroeg me van alles af. Ik lag er gewoon van wakker. Was ze op slag dood, of had ze nog pijn gehad? Het liet me niet los, ik moest het weten, net als jij. Ik stond ermee op en ik ging ermee naar bed. Dat is niet mis hoor, nee, zeker niet.'

'En is dat vanzelf overgegaan? Ik bedoel dat gepieker?'

'Nee, weet je wat ik heb gedaan? Ik heb contact gezocht met een paragnost. Zo erg was ik eraan toe. Normaal gesproken is dat niks voor mij, maar ik ben heel blij dat ik ben gegaan. Hij heeft me van alles kunnen vertellen. En geen onzin hoor, hij zei dingen die hij niet zomaar kon weten. Ik had eindelijk rust. Toen kon ik pas aan het rouwproces beginnen. Als je wilt, kan ik je zo het nummer geven.'

'Dank je wel, dat weet ik nog niet.' Eva neemt een slok van haar koffie. Dat gaat ze dus never nooit doen. Het is niets voor haar, een paragnost. Stel je voor wat ze dan te horen krijgt… Ze griezelt ervan.

Luna zou het wel hebben gedaan. Daarin verschilden ze wel. Luna kickte erop om gekke dingen te doen.

'Ik ga weer,' zegt Eva. 'Bedankt voor de koffie.'

'Sterkte hoor, meid, en met die Bart van je komt het ook wel goed.'

Eva draait zich om en kijkt recht in het gezicht van Arthur. Hij is wel de laatste die ze nu tegen wil komen. Arthur zit pas sinds kort in hun jaargroep. Het klikte meteen tussen hen. Dat ze samen in dezelfde werkgroep werden ingedeeld, maakte het er niet makkelijker op. Onlangs had Arthur bekend verliefd op haar te zijn. 'Sorry,' had Eva toen gezegd, 'maar ik heb een vriend.' Ze voelde heus wel wat voor Arthur. Als ze Bart niet had gehad, was het waarschijnlijk wel iets geworden tussen hen.

'Ruzie met je vriend?' vraagt Arthur.

Eva voelt dat ze een kleur krijgt. 'Het stelt niks voor. Gewoon gedoe, dat komt door al die emoties.'

'Als ik jou zo zie moet jij er nodig eens uit. We gaan met

een aantal van de werkgroep een weekend zeilen. Niks voor jou om mee te gaan? Voor mij hoef je niet bang te zijn, ik zie je gewoon als een vriendin. Ik heb het je al gezegd, Eva, ik respecteer het dat je een vriend hebt.'

Eva kijkt Arthur aan. Dat is wel heel lief gezegd van hem, maar ze ziet het echt niet zitten om met hem in één boot te slapen, zogenaamd als goeie vrienden. Dat gelooft hij zelf toch zeker niet?

Nathalie zou meteen zeggen dat ze moest gaan. 'Genieten, man. Je kunt je hele leven nog braaf zijn,' zegt ze altijd. Het gemak waarmee ze Jim meenam zegt al genoeg. Maar Eva is anders, ze heeft geen zin in problemen. Het wordt hoe dan ook ingewikkeld en daar heeft ze nu geen zin in.

'Zal ik nog een koffie voor je halen?' vraagt Arthur.

'Graag.'

Ze kijkt hem na als hij wegloopt om koffie te halen. Zijn lange, gespierde lichaam bezorgt haar een tinteling in haar buik. Nee, Eva, je houdt van Bart.

Voordat Eva op haar fiets stapt, kijkt ze nog even op haar mobiel. Nog steeds geen bericht van Bart. Even aarzelt ze of ze bij hem langs zal gaan, maar ze vindt het geen goed idee. Het blijft altijd een beetje haar valkuil om te pleasen. Ze heeft het aan Luna te danken dat ze nu veel assertiever is. In het eerste jaar van haar studie had ze ook een vriendje. Hij was helemaal niet aardig tegen haar en ze liet het gewoon toe. Hij zei gemene dingen, bijvoorbeeld dat hij eigenlijk op meiden viel met heel andere borsten dan die van haar. Ze was dan best in de war, maar ze hield zich flink. Ze wilde niet dat hij merkte dat ze gekwetst was. Luna werd er altijd wanhopig van als ze met die verhalen aankwam. 'Je had die loser eruit moeten kicken,' zei ze dan. 'Zoek maar een ander met tieten die je wel bedoelt, had je moeten zeggen. Opzouten.'

Eva wist zelf ook wel dat ze veel te slap reageerde; ze nam zich voor beter voor zichzelf op te komen, maar telkens liet ze het weer gebeuren. Maar na een tijdje zag ze wel in dat het zo niet langer kon, hij werd steeds erger. Hij flirtte gewoon met andere meiden waar zij bij was. Toen heeft ze het uitgemaakt. Daarna is ze wel veranderd. Nu is ze soms zelfs te fel, maar dat kan haar niet schelen. Ze voelt zich hier veel beter bij. Ze laat niet meer over zich heen lopen, door niemand, ook niet door Bart. Ze rijdt de straat uit en denkt aan het voorstel van Nel. Ze is nog nooit bij een paragnost geweest, maar misschien is het helemaal niet zo'n gek idee. Ze zal toch iets moeten. Naar de politie gaan heeft ook geen zin nu ze het bewijs heeft laten pikken. Wat moet ze anders? Ze kan toch moeilijk zelf voor detective gaan spelen en proberen of ze Remco kan ontmaskeren? Wie weet wat een paragnost haar kan vertellen. Nel heeft er goede ervaringen mee. Ze zegt dat hij dingen wist die hij absoluut niet kon weten. Wat zou zo'n paragnost over Luna's ongeluk kunnen vertellen?

Bij het station slaat ze rechts af. Ze gaat dus definitief niet langs Bart. Ze voelt zich rot en stopt voor een banketbakkerij. Ze heeft zin om haar ellende weg te eten en komt met een zak vol stroopwafels naar buiten. Ze mist Luna. Als ze zich ellendig voelden, rookten ze altijd samen een joint.

Een minuut of tien later staat ze voor haar huis. Was Nathalie er maar, maar die komt pas laat thuis en Fleur is er ook niet.

Als ze boven is, komt er een meisje van haar leeftijd op haar af. 'Hi, ik ben Yvet, de nieuwe bewoonster. Ik ben net verhuisd.'

Eva kijkt haar aan. Ze woont in Luna's kamer, denkt ze. Haar maag draait om. Ze hoeft geen stroopwafel meer. Ze weet dat Yvet er niks aan kan doen wat er met Luna is gebeurd, maar toch kan ze niet aardig reageren. Ze kan het eenvoudigweg niet opbrengen.

'Eh, ik ben Eva,' zegt ze kortaf en ze loopt door.

Dit kan dus echt niet, denkt ze als ze haar kamer in gaat. Ze had Yvet op zijn minst voor een kopje koffie kunnen vragen. Nou ja, het komt wel als ze zich weer wat beter voelt. Vandaag heeft ze echt een offday. Zou Yvet weten wat er met Luna is gebeurd? Vast niet, de huisbaas gaat zoiets heus niet vertellen, die wil de kamer verhuren. Als ze zelf hoorde dat de vorige bewoonster was overleden, dan had ze zich nog wel een keer bedacht voor ze die kamer nam. Misschien moeten ze het haar ook maar helemaal niet vertellen. Ze moet het er met de anderen over hebben. Ze realiseert zich ineens dat ze niets aan Yvet heeft gevraagd, niet eens wat ze studeert. Ze zal wel denken, wat een asociale bende is het hier.

Ze haalt de stroopwafels uit haar tas als er op haar deur wordt geklopt. Het is Yvet weer.

'Hi, Yvet,' zegt Eva nu overdreven vriendelijk.

'Ken jij het meisje dat hiervoor in mijn kamer woonde?'

'Ja, dat was mijn beste vriendin,' zegt Eva. Ze voelt met-een weer tranen achter haar oogleden prikken.

'Onder een losse plank in de vloer vond ik dit stapeltje brieven,' zegt Yvet. 'Ze is ze vergeten, wil jij ze aan haar geven?' En weg is ze.

Eva staat stomverbaasd met het stapeltje brieven in haar hand. Hoe komen die nou onder de vloer? Het is niks voor Luna om daar brieven te verstoppen. Zijn ze wel van Luna? Ze gaat zitten en maakt de eerste brief open.

Lieve Luna,
Ik had het je al veel eerder moeten vertellen, maar ik dacht dat we tijd genoeg hadden. Jij bent de enige die het mag weten.

Jij bent in de stad opgegroeid, in een kunstenaarsgezin. Jouw ouders zijn ruimdenkend. Jij zult nooit weten hoe het is om in een klein dorpje in Zeeland te wonen. Eigenlijk meer een gehucht, waar iedereen elkaar kent. Waar ik altijd een soort druk op mijn borst voelde, alsof ik er niet kon ademen. Midden in het dorpje staat een kerk, waar we elkaar elke zondag troffen. Nooit waagde iemand het niet naar de dienst te gaan, tenzij hij heel ziek was. Mijn ouders hadden een bakkerij. Behalve brood verkochten we ook kaas, frisdrank en koffie. We moesten leven van de mensen uit ons dorp die bij ons brood kochten, maar dat waren er niet genoeg. Daarom reed mijn vader met zijn busje naar de dorpen in de buurt. Alleen inwoners die van dezelfde kerk waren als wij kochten bij mijn vader. Wij, mijn zus en ik, moesten ons netjes gedragen. Elke roddel kon onze ouders klanten kosten.

Toen dacht ik nog dat het allemaal goed en zuiver was wat er in onze kerk werd verteld. Tot er een jongen in onze klas kwam die was verhuisd naar ons dorp en niet kerkelijk was. Amy, die altijd de laatste nieuwtjes wist omdat haar vader schoolhoofd was, waarschuwde ons al op het schoolplein. Het huis waar de nieuwkomers woonden, was vervloekt. Het kwaad zou zich ook op ons wreken.

Hij stond in de deuropening van de klas, een jongen van tien jaar. Er waren verschillende plaatsen vrij, maar niemand wilde naast hem zitten. Hij moest van de juf achterin zitten en niemand sprak tegen hem. Na schooltijd moesten we van Robbie, de aanvoerder van onze groep, keihard wegfietsen. Op weg naar het huis van de jongen moesten we ons in de bosjes verstoppen. Robbie floot zachtjes toen de jongen eraan kwam. Toen hij vlakbij was spoten we uit de bosjes. Voordat ik wist wat er gebeurde werd de jongen door onze groep overvallen. Ze rukten hem van zijn fiets en sleurden hem mee naar de greppel. Daar werd hij met zijn hoofd onder water geduwd, net zo lang tot hij bijna stikte. Toen ik thuiskwam vertelde ik het tegen mijn moeder.

'Je hebt je toch nergens mee bemoeid, hè?' vroeg ze angstig.

Ik schudde mijn hoofd.

'Mooi zo,' zei ze. 'Als de Heer vond dat de jongen geholpen moest worden, dan greep hij wel in.'

Ik bad stiekem voor de jongen, maar het treiteren werd alleen maar erger. Een keer werd hij zo erg in elkaar gebeukt dat er bloed uit zijn mond kwam. Ik was blij dat de juf eraan kwam, maar zonder iets te zeggen fietste ze door.

Het bleef niet bij het pesten van de jongen alleen. Het huis waar ze woonden werd dagelijks met koeienvlaai besmeurd.

Op een dag hielp ik mijn moeder in de winkel. Iedereen praatte met elkaar over de nieuwkomers. Tot de vrouw zelf binnenkwam. Er viel opeens een stilte. De klanten die al werden geholpen, bleven staan wachten. Ze groette, maar niemand groette terug.

'Eén gesneden bruin, alstublieft,' zei de vrouw.

Alle hoofden draaiden zich naar mijn moeder. Ik voelde de spanning.

'Het spijt me,' zei mijn moeder. 'Ik verkoop net mijn laatste brood.' Ze wees naar het halfvolle schap. 'Dit is allemaal besteld.'

Eva snapt er helemaal niets van. Wie is dit? Waarom heeft Luna die brieven verstopt? Hoe komt ze aan die brieven? Verward leest ze verder.

Lieve Luna,

Rutger, zo heette de nieuwe jongen in ons dorp. In de pauze stond hij altijd alleen bij de eik. Terwijl Robbie een plan beraamde om hem na schooltijd op te wachten, keek ik naar Rutger. Stiekem, want niemand mocht het weten. Ze zouden het niet begrijpen. Ik weet ook niet of jij het had begrepen. Ik snapte het zelf ook niet. Ik weet niet waar het aan lag. Hij was absoluut niet hip of stoer. En al helemaal niet knap. Maar hij had iets. Ik voelde me met hem verbonden. Ik had me altijd een buitenbeentje in ons dorp gevoeld. Ik zat liever met een boek op mijn kamer dan dat ik buiten speelde. Ik hield niet van wilde spelletjes, maar ik mocht toch lid zijn van de groep. Dat kwam omdat Robbie mijn vader elke zaterdag hielp met brood rondbrengen. Daardoor werd ik ook niet gepest. Eigenlijk mocht ik voor spek en bonen meedoen, want iedereen wist dat ik er maar zo'n beetje bij hing. Ik deed keurig wat Robbie en zijn assistent Jasper van mij verwachtten. Nooit was ik iemand tegengekomen met wie ik me bevriend voelde. Tot Rutger bij ons in de klas kwam. Hij had iets natuurlijks, hij was zichzelf. Ik begon het steeds moeilijker te vinden mee te doen aan het gepest. Er waren er vast wel meer die dat vonden, maar we hadden geen keus.

Op woensdag moest hij langer op school blijven. Dan werkte onze juf hem bij. Het was de enige middag dat hij niet werd opgewacht, want Robbie en Jasper moesten naar scouting. Bijna alle kinderen zaten op scouting, daarom wilde mijn moeder dat ik ook ging. Ik was anders, dat wist ik toen al. Ik moest er niet aan denken met de jongens hutten te bouwen. Als we voetbalden op het schoolplein keek ik altijd jaloers naar de meisjes die aan het elastieken waren. Ik heb thuis zo'n scène gemaakt dat ik niet meer hoefde.

Ik had er al een tijdje over nagedacht en op een van die woensdagen bleef ik rond de school hangen. Ik keek goed of niemand me zag, maar ze waren allemaal naar huis. Het duurde wel een halfuur voordat Rutger naar buiten kwam. Hij keek angstig om zich heen. Ik stond bij het klimrek en zei gedag alsof het de normaalste zaak van de wereld was dat ik me daar op dat moment bevond.

Hij lachte en was totaal niet verbaasd. 'Wil je mijn ratjes zien? Ik heb twee woestijnratjes,' zei hij. 'Ze wonen bij mij op zolder, maar soms mogen ze in de kamer.'

'Oké,' zei ik. Ik dacht aan mijn moeder, die wachtte met het eten. Ik kon niet zomaar wegblijven. 'Ik moet het wel even zeggen,' zei ik. We namen een omweggetje, langs het weiland, zodat niemand ons samen zag fietsen. Voor het eerst voelde ik me niet alleen. Hij fietste naast me en vertelde over zijn ratjes. Het leek zo vertrouwd, alsof we elkaar al jarenlang kenden. Een eindje verderop stond een huis. Ik reed er snel langs.

We kwamen langs de sloot waar Robbie en zijn vrienden Rutger al een paar keer hadden ondergedompeld, maar we zeiden er niks over. Het bestond even niet. Op de hoek stapte ik af. Als ik langs onze bakkerij wou, moesten we rechtsaf, langs een heel rijtje huizen. 'Ik kom er zo aan,' zei ik en ik racete langs de huizen naar de bakkerij. De winkel was tussen de middag gesloten. Ik ging achterom. Het rook naar draadjesvlees en gekookte biet. Wij aten tussen de middag warm; bijna iedereen in het dorp at warm tussen de middag.

'Mam, mag ik bij een vriendje spelen?'

'Natuurlijk.'

Mijn moeder was zo blij dat ik eindelijk met iemand meeging, dat ze niet eens vroeg bij wie. Ze maakte zich vaak zorgen over mij omdat ik vaak in mijn eentje op mijn kamer zat. Het enige wat ze zei was dat ik me netjes moest gedragen en aan het eind moest bedanken. Ik rende naar buiten. Even was ik bang dat hij weg zou zijn, maar hij stond er nog. Het kwam goed uit dat Rutger net iets buiten het dorp woonde.

'Wie het eerst bij mijn huis is,' zei hij. We crosten weg. Rutger kon heel snel fietsen, dat had ik al eerder gemerkt. Daardoor had hij al een paar keer aan de pesters kunnen ontkomen.

Ik voelde het meteen toen we het huis binnen gingen, het was daar heel anders dan bij ons thuis. Zijn moeder had een spijkerbroek aan. Dat was voor mijn moeder ondenkbaar. We hoefden onze schoenen ook niet uit te trekken. Er hing ook geen geur van warm eten. Op tafel stond een brood, het kwam niet uit onze winkel.

'Gezellig dat je bent meegekomen,' zei Rutgers moeder.

'Mogen wij op zolder eten?' vroeg Rutger.

'Maak maar wat klaar, in de keuken staat nog iets lekkers.' Ze liep naar de telefoon, die rinkelde. Een paar tellen later hoorden we haar lachen als een meisje. Rutger smeerde twee boterhammen en bakte een omelet, die aan de koekenpan bleef kleven. Toen hij klaar was, ging hij me voor naar een trap.

'Hier is mijn zolder,' zei hij wijzend.

'Wauw!' riep ik toen we boven waren en hij een deur opendeed. Het was een echte jongenskamer, met een superstoer piratenbed en een cd-speler. Onder het dakraam stond een terrarium. Twee neusjes boorden zich door het gaas. Rutger deed het hok open. 'Jij mag deze.'

Hij zette een ratje op mijn hand. Zelf deed hij er een op zijn schouder. We zaten op de grond, lieten de ratjes rennen en pakten ze weer. We voerden ze kleine stukjes brood met omelet.

'Zullen we ze in de tuin laten?' zei hij. Hij pakte mijn ratje op en zette die bij het andere ratje op zijn schouder.

'Rennen ze dan niet weg?' vroeg ik.

'Nee, ik heb ze gedresseerd.'

We kwamen in een tuin vol bloemen. 'Dit is mijn tuintje.' Rutger wees naar een hoek van de tuin. 'Ik kweek bijzondere planten. Later word ik bioloog, net als mijn vader.' Hij haalde een heel dik boek uit het tuinhuis. 'Hier staan alle planten van de wereld in. Als je die allemaal kent, ben je bioloog.'

Na die woensdagmiddag ging ik vaker met hem mee. Ik ging eerst thuis eten en dan fietste ik later met een omweg naar zijn huis. We zeiden niet tegen elkaar dat we vrienden waren, we waren het. We konden alleen op de woensdagmiddagen met elkaar omgaan. De rest van de week moest ik doen wat onze aanvoerder van me verlangde. In de pauze moesten alle jongens zich verzamelen en dan werd het plan van die dag beraamd waar en hoe we Rutger na schooltijd zouden overvallen. Al vele malen was het me gelukt niet mee te doen en twee keer was het me gelukt hem te waarschuwen en de plek des onheils door te geven.

Het was fijn om bij Rutger op de zolder te spelen en de namen van alle bijzondere planten te leren. Maar dat was niet de reden dat ik daar zo graag kwam. Er was iets speciaals aan Rutger, iets waar ik heel gelukkig van werd.

'We gaan schooltje spelen,' zei Rutger op een middag.

We verbouwden de zolderkamer tot school.

'Ik ben een nieuwe leerling,' zei hij. 'Ik was net verhuisd en ik kwam van een andere school. En jij was de juf.' Hij haalde een oude zonnebril uit zijn kast en drukte de glazen eruit. Hij keek bedenkelijk toen ik de bril opzette. 'Je moet een echte juf zijn.' Hij deed de deur van zijn kamer zachtjes open, wenkte me en liep op zijn tenen naar een deur aan de andere kant van de zolder. In het voorbijgaan boog hij zich over het trapgat. Hij wachtte tot hij zeker wist dat zijn moeder niets in de gaten had en toen liep hij verder en deed een deur open. Ik liep naar binnen en keek met een stralend gezicht om me heen. Dit was waar ik me thuis voelde. Alles leek zacht in de meisjeskamer. Het was zo anders dan in de kamer van mijn zus. Ik liep naar het bed met de roze fluwelen sprei en ging er met mijn hand langs. Even raakte ik de knuffels aan die op het bed zaten. Je kon zien dat er veel mee was geknuffeld. Ik keek naar de gordijnen met de roze bloemetjes erop. Het voelde alsof ik in luilekkerland was beland. Ik dacht aan mijn eigen kamer. En toen kwam weer dat verdrietige gevoel boven dat ik zo vaak had als ik alleen op mijn kamer zat. Soms werd alles zo zwart, dat ik liever dood wilde. Maar Rutger opende een kledingkast en toen was het meteen over.

'Zoek maar een jurk uit,' zei hij. En hij wees ook op de plank eronder waar hoge hakken stonden. Ik bekeek de jurken een voor een. Ik kon niet kiezen, het was gewoon te mooi. Het idee alleen al dat ik zo'n jurk mocht dragen, deed me huiveren van geluk. Voor de zoveelste keer gleden mijn ogen langs de rij kleding. Ik koos voor een roze jurk met kant en hield hem voor. Ik keek naar Rutger. Hij knikte goedkeurend. Ik weet niet hoe lang ik daar stond, met de jurk voor me. Ik wenste dat dit moment nooit voorbij zou gaan. Ik bukte en pakte witte schoenen met hakken van de plank. Zo te zien paste ik ze. Ik was elf en had grote voeten. Rutgers zus moest zeker veertien zijn. Hij had nooit zoveel over haar verteld, maar ik wilde het ook niet weten.

Ik trok de jurk over mijn broek en trui aan. Hij paste precies. Met de schoenen in mijn hand liepen we terug naar Rutgers kamer. Daar trok ik mijn donkerbruine kisten uit en liet mijn voet in de meisjesschoenen glijden. Ik voelde me net Assepoester met de glazen muiltjes. Ik liep een rondje door Rutgers kamer. Het voelde helemaal niet vreemd of onwennig. Het was alsof ik al jaren hakken droeg. Ik zette de bril op en voelde dat ik straalde. Het kon niet anders of ik was een heel lieve juf. Ik ging achter mijn lessenaar staan.

'Luister, kinderen,' zei ik. 'Straks krijgen we een nieuwe jongen in de klas. Hij heet Rutger en hij komt helemaal uit Noord-Holland, uit Alkmaar.' Ik wees op de kaart aan waar het lag. 'Jullie zien dat dat een heel eind weg is. Verhuizen is niet gemakkelijk. Je kunt wel denken dat het spannend is, want je krijgt een mooi huis of een grotere kamer, maar je moet al je vrienden achterlaten. Dus ik wil dat jullie goed voor hem zorgen. Maak hem wegwijs op school en in het dorp, en laat hem meedoen met jullie spelletjes.'

Ik hoorde een bons. 'Daar zul je Rutger hebben,' zei ik en ik deed de deur van de klas open.

'Ah, Rutger, we zitten allemaal vol spanning op je te wachten. Ik ben juf Annabel.' Ik gaf hem een hand en hield hem net iets langer vast. 'Kom binnen, jongen. We hebben al een plaats voor je vrijgehouden. Daar, bij het raam.' Ik liep met hem mee naar zijn plaats. 'Het zal nog wel even wennen zijn, Rutger, maar we zijn allemaal heel blij dat je er bent.'

Rutger glimlachte.

'En dan gaan we nu over tot ons ochtendgebed.'

Rutger vouwde zijn handen.

Ik ging voor de klas staan met mijn ogen dicht. 'Here Jezus, wij danken u dat we vandaag weer met z'n allen bij elkaar mogen zitten. Dit is een heel bijzondere dag. U hebt ons een nieuwe jongen gegeven in de klas. Moge hij veel vriendjes krijgen en zich snel gelukkig en veilig voelen. Amen.' Ik opende mijn ogen. 'Pakken jullie maar allemaal je rekenboek.' Ik gaf Rutger een boek en een schrift. 'Ik wil nu niemand meer horen,' zei ik. 'Jullie gaan zelf verder werken waar we waren gebleven zodat ik me met Rutger kan bezighouden. Hoe ver waren jullie gekomen op je oude school? Heb je al procenten gehad?'

'Ja,' zei Rutger, 'maar ik ben niet goed in rekenen.'

'Lieve jongen, dat geeft niks. Als je maar je best doet, meer verwacht ik niet van je.' Ik legde mijn hand op zijn hoofd en streelde zijn haar. 'Het komt goed, maak je maar geen zorgen.'

'Ik maak me wel zorgen,' zei Rutger. 'Ik ben bang dat ik geen vrienden vind.'

'Daar hoef je niet over in te zitten. We hebben hier een klas vol vrienden voor jou.' Ik sloeg mijn arm om hem heen. Ik voelde dat hij het fijn vond. 'Arme jongen,' zei ik. 'Als er iets is, moet je altijd naar mij toe komen. Zul je dat doen?'

Rutger knikte.

Ik liet de kinderen rekenen en liep langs de rijen. 'Mooi zo,' zei ik tegen Rutger, die al twee sommen goed had. 'Zie je wel dat je het kunt.'

Rutger kleurde rood van trots.

'Leg allemaal je pen neer,' zei ik na een tijdje. 'Het is tijd voor de gymles. Ik zie de gymjuf al aankomen. Gaan jullie maar vast naar de gang. Muisstil, zodat je de andere klassen niet stoort.'

Toen Rutger wilde opstaan, zei ik: 'Blijf jij maar hier. Je zit hier net in de klas, ga nog maar niet naar gym. Dat vind ik een beetje veel voor de eerste ochtend.' Ik liep naar de grote stoel die in een hoek van de klas stond en pakte een boek. 'Rutger, kom maar hier, ik ga je voorlezen.'

Rutger keek me aan. 'Waar moet ik zitten, juf?'

'Deze stoel is groot genoeg voor ons tweetjes.' Ik drapeerde mijn jurk over de stoel en trok Rutger naast me. Ik had het boek voor me, maar ik las maar een paar regels. Daarna zaten we heel lang, heel stil naast elkaar.

Eva bladert verbaasd door de brieven. Over wie gaat dit? Wie is dit? Ze moet het weten en leest verder.

Lieve Luna,
Die avond in bed zag ik de kledingkast van Rutgers zus voor me. Hoe zou de juf er de volgende woensdag uitzien? Ik had alle kleren in mijn hoofd. Even twijfelde ik nog, maar de avond ervoor wist ik het zeker: ik ging het korte, paarse jurkje aandoen.

In mijn hoofd had ik het al tientallen keren aangetrokken. Ik kon maar niet wachten tot het zover was.

De volgende woensdagmiddag deed Rutgers moeder open. 'Daar ben je weer,' zei ze. 'Rutger is boven.'

Ik rende de zoldertrap op. Nog geen minuut later ston-

den we voor de kledingkast. 'Ik weet het al,' zei ik en ik haalde het korte jurkje eruit. Rutger keek naar mijn broek. Ik wilde het jurkje over mijn broek en mijn trui aantrekken, net als de vorige keer.

'De juf draagt geen broek,' zei hij en hij haalde een gestreepte maillot uit de kast. Ik trok mijn broek uit, rolde de maillot behendig op en trok hem aan. Ik deed mijn trui uit en wilde de jurk over mijn hoofd trekken, maar Rutger pakte mijn arm.

'De juf heeft wel borsten.' Hij trok de la van de kast open en liet me drie bh's zien. Ik vond ze alle drie even prachtig. Een blauwe met kant, een witte en een roze. Ik koos voor de blauwe. Ik stond met de bh in mijn hand en voelde me intens gelukkig. Toen Rutger even niet keek, drukte ik de bh tegen mijn blote bovenlijf, alsof ik hem nooit meer zou loslaten. En toen, heel voorzichtig, trok ik hem aan. Rutger gaf me een paar sokken, ik propte ze in de cups en daarna trok ik het jurkje over mijn hoofd.

'De juf houdt van sieraden,' zei Rutger. Hij hield mij een heel mooi fluwelen doosje voor. Ik tilde het deksel op en haalde er een rode kralenketting en gouden oorbellen uit. Toen ik hoge hakken had uitgekozen ging ik voor de kleine spiegel staan. Mijn mond viel open. 'Prachtig...' Het kwam er zomaar uit. Voor het eerst vond ik mezelf mooi. Jammer genoeg kon ik alleen maar mijn gezicht en een klein deel van mijn bovenlijf zien. Ik kon mijn geluk niet op toen Rutger een make-uptasje in mijn hand duwde. Ik had er al stilletjes op gehoopt, maar had het niet durven voorstellen. Ik ritste het tasje open en haalde de mascara eruit. Mijn vingers trilden van opwinding; heel even maar, toen werd ik rustig. Geconcentreerd ging ik met het borsteltje langs mijn wimpers. Er zaten verschillende kleuren lipstick in het tasje. Ik koos voor de knalrode.

'Ik moet naar de klas,' zei Rutger, 'anders krijg ik straf.'

Toen hij weg was, keek ik weer naar mezelf in de spiegel. Ik straalde. Ik ging op het bed zitten en deed alsof het mijn kamer was. Ik ging liggen met mijn hoofd op het zachte kussen. Ik keek naar de bloemetjesgordijnen, naar de posters aan de muur, naar de roze lamp. Het klopte, voor het eerst in mijn leven klopte alles.

Rutger zat al op zijn plaats toen ik eindelijk de klas in kwam. Ik ging voor de klas staan. 'Goedemorgen, jongens en meisjes, vouw allemaal jullie handen.'

En toen begon ik het ochtendgebed. Ik dankte de Heer dat het zo goed met Rutger ging. Dat hij al zoveel vrienden had gemaakt en zich helemaal in de klas thuis voelde. Ik vroeg of het weer een mooie leerzame dag mocht worden. Daarna deelde ik de blaadjes uit. 'Jullie moeten een opstel maken,' zei ik. 'Het moet over de liefde gaan. Je liefde voor je huisdier, je voetbalclub, je muziekinstrument, je oma, je nichtje, alles mag.'

Rutger begon meteen te schrijven. Ik keek wat werk na.

'Mooi zo,' zei ik toen Rutger zijn pen neerlegde. 'Zo te zien is iedereen klaar. Rutger, we beginnen bij jou. Jij mag als eerste je opstel voorlezen.'

Rutger werd rood. Hij schoof onrustig met zijn voeten heen en weer.

'Toe dan, Rutger, je hoeft niet zo verlegen te doen, lees maar. Iedereen komt aan de beurt.'

'Ik durf het niet goed voor te lezen, juf. Ik ben bang dat iedereen het raar vindt.'

'Wij vinden hier niet zo gauw iets raar, hè jongens? Begin maar te lezen, we wachten op je.'

Rutger schraapte een paar keer zijn keel. En toen begon hij heel zachtjes voor te lezen.

'Zo kunnen we je niet verstaan, Rutger,' zei de juf. 'Met luide stem.'

Rutger las iets harder. 'Altijd als ik uit school kwam, rende ik meteen naar mijn tuin. Dan keek ik naar mijn planten. Ik las altijd over ze, en dacht er altijd aan. Ik droomde zelfs van ze. Mijn planten waren het allerbelangrijkst voor me. Maar sinds ik op deze school zit, is het veranderd. Er is iets wat ik nog veel belangrijker vind. Ik moet er steeds aan denken. Ik kan er niet van slapen en eten. Het is geen plant, het is een mens. Een heel bijzondere vrouw. Ik droom van haar, ik denk de hele dag aan haar. Ik denk dat ik verliefd op haar ben, heel erg verliefd. Ik voel vlinders in mijn buik als ik haar naam hoor en helemaal als ik in de klas zit. Eerst verlangde ik altijd naar het weekend, geen school, lekker vrij. Maar nu niet. Ik wil juist naar school. Het weekend duurt heel lang, veel te lang. Ik verlang naar haar, naar mijn juf.'

Rutger wilde verder lezen, maar de juf onderbrak hem. 'Tot hier, Rutger, ik wil dat je na de les bij me komt.'

Toen de bel ging, bleef Rutger zitten. Ik zat achter mijn lessenaar en riep hem bij me.

'Rutger,' zei ik toen hij voor me stond. 'Dat opstel, heb je dat verzonnen?'

Rutger sloeg beschaamd zijn ogen neer. 'Nee, juf.'

'Je hebt het me wel heel moeilijk gemaakt,' zei de juf. 'Ik weet niet of je nog wel in mijn klas kunt blijven.'

'Stuur me niet weg, juf, alstublieft. Ik wou u niet boos maken.'

'Maar je hebt me wel in de war gebracht,' zei de juf. 'Wat moeten de andere kinderen hier nou van denken?'

'Ik kan zeggen dat ik het heb verzonnen,' zei Rutger.

De juf knikte. 'Luister, niemand mag weten dat jij verliefd op mij bent. Dan mag je blijven.'

Ik stond op en ging voor hem staan. 'Het blijft dus geheim. Een geheim tussen jou en mij.'

We stonden vlak bij elkaar. Onze lichamen raakten elkaar bijna. Mijn handen gingen naar zijn gezicht. En toen ging het vanzelf. Ik perste mijn lippen op Rutgers lippen. Zijn mond ging langzaam open. Ik voelde zijn tong. Mijn adem ging sneller. Ik dacht nergens meer aan. Niet aan de jongens die Rutger pestten. Niet aan de winkel van mijn ouders, en ook niet aan mijn jongenslichaam waaraan ik een hekel had, omdat het niet bij me paste. Alleen Rutger en ik bestonden even. Onze tongen kringelden om elkaar. Het was een heel innige kus, zoals in een film. En voor het eerst in mijn leven voelde ik een siddering van genot door mijn lichaam gaan.

Eva vouwt de brief dicht en opent gauw de volgende.

Lieve Luna,

Elke woensdagmiddag als ik bij Rutger kwam, deed zijn moeder open en zei ze dat ik naar boven mocht lopen. Maar die ene keer deed hij zelf de deur open. Ik zag de opwinding in zijn ogen. Hij ging me voor naar zijn zolder en deed vol spanning de deur open. Het viel me meteen op dat de school kleiner was geworden.

'Dit is nu de school,' zei Rutger, 'en daar is het huis van de juf.'

Waarom zou hij dat hebben gedaan? Ik vroeg me af waarom de juf opeens een huis had. Wat was hij van plan? Ik liep het huis in. Op het bed lag een groene jurk, een bijpassende bh en een slipje. Rutger had overal aan gedacht. Niet alleen aan de hoge hakken die voor het bed stonden, maar ook aan de sokken die de cups moesten opvullen. Ik keek vragend naar Rutger, maar hij zei niets.

Ik ging op het bed zitten en keek naar de groene jurk die Rutger voor me had klaargelegd. Hoe had hij voor de kast van zijn zus gestaan? Had hij de eerste de beste jurk gepakt die hij zag of had hij de jurk zorgvuldig uitgekozen? Ik kende de jurk en had hem een paar keer in mijn handen gehad. Ik vond hem prachtig, maar toch had ik hem elke keer teruggehangen omdat ik dacht dat groen mij niet stond. Het maakte me onzeker dat hij juist die jurk had klaargelegd. Stel je voor dat hij hem bewust had uitgekozen en er hoge verwachtingen van had, dan zou ik hem teleurstellen. Ik trok hem aan, helaas was er geen passpiegel waarin ik mezelf helemaal kon zien. Dat maakte me nog onzekerder. Ik weet niet wat Rutger van plan was met het huis van de juf, maar als hij op me afknapte ging het hele spel misschien niet meer door. Zo meteen stuurde hij me weg, voorgoed, zodat ik de woensdagmiddagen waar ik de hele week naar uitkeek wel kon vergeten. Ik voelde dat mijn vingers trilden toen ik de jurk dichtknoopte. Ik stapte in de hakken en stiftte mijn lippen. Was er maar een groot raam waarin ik mezelf kon zien! Ik voelde de ogen van Rutger op me gericht. Ik durfde hem bijna niet aan te kijken. Zijn ogen leken door mijn jurk heen te branden. Ik hield mijn adem in en keek hem angstig aan. Zou hij me wegjagen? Maar zijn gezicht straalde. Ik zuchtte van opluchting. Ik wachtte tot hij op zijn plek zat en toen ging ik de klas in.

'Goedemorgen, kinderen,' zei ik. Rutger keek vol trots mijn kant op.

'Ik wil dat jullie allemaal je handen vouwen,' zei ik en ik begon te bidden. 'Here Jezus, ik dank U dat we allemaal in goede gezondheid bij elkaar mogen zijn. Ik dank U ook omdat het met onze nieuwe leerling Rutger heel goed gaat. Mogen wij met elkaar een vruchtbare ochtend beleven. Amen.'

Ik deelde de leesboeken uit en vroeg Rutger het eerste hoofdstuk voor te lezen. Maar ik schrok toen ik zijn kant op keek. Zo stralend als hij er net nog bij had gezeten, zo bang leek hij nu. Als een vogeltje in elkaar gedoken, zat hij op zijn stoel. Hij las met een uiterst timide stem voor, die in de ruimte verdween.

Ik liep naar hem toe en legde mijn hand op zijn hoofd. 'Lieve jongen, wat is er met je? Ben je ziek?'

Rutger schudde zijn hoofd en las verder, zacht en met dichtgeknepen keel. Hij zag eruit alsof hij elk moment kon gaan huilen.

'Stop maar, lieve jongen,' zei ik. 'Zo gaat het niet. Ik denk dat je ziek bent. Zal ik je moeder bellen om te vragen of ze je komt halen?'

'Mijn moeder zit in Parijs,' zei Rutger. 'Ze is niet thuis.'

'Je vader dan?'

'Die is ook naar Parijs, juf. Ze zijn samen weggegaan en komen morgen weer thuis.'

'Wie zorgt er dan voor jou?' vroeg ik.

'Niemand,' zei Rutger. 'Ik ben helemaal alleen thuis.'

'Toch niet vannacht?' vroeg ik geschrokken.

'Jawel, juf,' zei Rutger. 'Ik heb nu al buikpijn bij de gedachte dat ik vannacht alleen ben in dat grote huis. Mijn vader zei dat ik een angsthaas ben.'

'Jochie toch, daar ben ik het helemaal niet mee eens. Ieder kind vindt het eng als hij 's nachts helemaal alleen is.'

Rutger keek me aan. Ik zag dat hij iets wilde vragen.

'Toe maar,' zei ik. 'Vraag maar, misschien kan ik je wel helpen.'

Hij zei iets, maar ik kon het niet verstaan. Ik zag dat hij bang was voor de reactie van de andere kinderen.

'Fluister het maar in mijn oor,' zei ik.

'Juf,' fluisterde hij. 'Mag ik vannacht bij u logeren?'

En toen wist ik waarom het huis er was.

Na schooltijd nam ik Rutger mee naar mijn huis.

Ik deed de deur open en zei: 'Hier woon ik nou.'

'Gezellig, juf,' zei hij. 'Maar ik ben heel moe. Ik wil slapen.'

'Ik ben ook moe,' zei ik. 'Het was een heel lange dag en we hebben hard gewerkt.'

'Waar is mijn bed?' vroeg Rutger.

'Je slaapt naast mij,' zei ik. 'Dan hoef je nergens bang voor te zijn.'

Ik trok mijn jurk uit en ging in mijn bh en slipje in bed liggen.

Ik keek naar Rutger, die zijn spijkerbroek en T-shirt uit-trok. Ik hield het dekbed voor hem open. 'Kom maar veilig bij de juf liggen.'

Hij kroop dicht tegen mij aan. Ik voelde zijn warme lichaam. Met mijn hand ging ik over mijn bh. Ik voelde borsten en toen moest ik bijna huilen van geluk.

We wisten alle twee dat het tijd was dat ik naar huis ging, maar we bleven liggen, dicht tegen elkaar aan, tot de laatste minuut, zonder te praten. Toen het echt geen seconde langer meer kon, stapte ik uit bed, deed mijn slipje en mijn bh uit en trok mijn kleren aan. Elke keer als ik vertrok, hing er een vreemde sfeer. Het leek net alsof er niets was gebeurd. Ik liep de trap af en stak mijn hoofd om de kamerdeur. 'Dag mevrouw, bedankt voor het spelen.'

'Goed hoor, jongen.'

Rutger liep nooit mee naar beneden. Ik denk dat hij de tijd gebruikte om het huis en de school af te breken en de kleren in de kast van zijn zus terug te hangen. Ik had altijd een licht verdrietig gevoel als ik het huis verliet, alsof ik een stukje van mijn ware zelf achterliet, want wie ik echt was, dat moest voor iedereen verborgen blijven. Ik trok de voordeur achter me dicht en fietste nietsvermoedend het pad af. Tot ik Amy zag staan.

'Dat zie ik nou eens, hè? Wat moest jij bij Rutger?'

'Niks,' zei ik.

'Ik weet het al,' zei ze. 'Je hebt daar brood gebracht.

Jouw ouders leveren stiekem brood aan de vijand. Zo verspreiden ze het kwaad over ons dorp en dat kan ze niks schelen, want ze denken alleen maar aan geld.'

'Nietes,' zei ik. 'Ik heb helemaal geen brood gebracht.'
Maar ze rende al naar het landje. Wegwezen, dacht ik toen
ik in de verte de jongens zag staan. Amy rende, maar ik
was sneller op de fiets.

'Hou hem vast!' schreeuwde ze. 'Hij heeft brood naar
Rutgers huis gebracht.'

Robbie sprong midden op de weg, maar ik was al voorbij.
Ik keek om. 'Niet waar!' riep ik. 'Amy liegt.'

'We krijgen je nog wel!' schreeuwde Robbie. 'Verrader!'
En hij zwaaide dreigend met een stok.

Toen ik thuiskwam, stond mijn moeder in de winkel.
'Heb je lekker gespeeld?' vroeg ze.

Ik knikte en liep door naar boven. Ik zat op mijn kamer
en keek rond. Mijn jongenskamer, waar ik me nooit thuis
voelde. En waar ik mezelf zo vaak had gehaat, omdat ik
niet zoals de andere jongens was. Toen ik een kleutertje
was, speelde ik altijd met de pop van mijn zus. Dat mocht
van mijn ouders, maar toen ik voor mijn vijfde verjaardag
een poppenwagen vroeg, heeft mijn moeder de pop afgepakt en tegen mijn zus gezegd dat ik er nooit meer mee
mocht spelen.

Ik ging op bed liggen, deed mijn ogen dicht en probeerde
het mooie gevoel van vanmiddag weer naar boven te halen.
In mijn verbeelding liep ik met de groene jurk en de borsten
eronder door de klas toen de deur van mijn kamer openging.

'Je moet bij mama komen,' zei mijn zus.

Ik stond op en liep naar beneden. Toen ik de deur van de
winkel opendeed, zag ik Amy's moeder met een rood aan-
gelopen gezicht.

'Hoe kom je erbij dat wij brood aan de nieuwkomers

verkopen?' zei mijn moeder tegen mij. 'Nou?' Ze keek me fel aan.

'Dat heb ik niet gezegd,' zei ik. 'Amy heeft het zelf verzonnen.'

'Ze zag je uit het huis komen,' zei mijn moeder, 'of heeft ze dat soms ook verzonnen?'

'Eh, nee,' zei ik en ik sloeg mijn ogen neer.

Ik was erbij, ik was er gloeiend bij.

'Wat deed je daar? Vertel op.' Ze rammelde me door elkaar.

'Spelen,' zei ik. 'Ik heb met Rutger gespeeld.'

'Bedankt,' zei mijn moeder tegen Amy's moeder. 'Dit varkentje zal ik wel wassen. Daar kun je van opaan.'

'Hoe haalt dat joch het in zijn hoofd,' zei Amy's moeder hoofdschuddend. In de deuropening draaide ze zich om. 'Ik ben blij dat je geen brood aan ze verkoopt.'

Toen Amy's moeder weg was, barstte mijn moeder in een tirade los. 'Dus jij speelt elke woensdagmiddag in dat vervloekte huis. Je hebt me voorgelogen. Hoe durf je? Je houdt geen rekening met de winkel van je ouders die er keihard voor werken om jullie te eten te geven. Jij denkt niet na. Waar zit je verstand? Weet je wel wat de gevolgen kunnen zijn? Dat het hele dorp ons boycot en we straatarm worden.'

'Het spijt me,' zei ik.

'De komende acht weken heb je huisarrest.' Ze sleurde me aan mijn arm mee naar de huiskamer. In de hoek, onder de plank waar de bijbel stond, bleef ze staan. 'Op je knieën jij, en je vraagt de Heer om vergiffenis dat je je ouders al weken hebt voorgelogen en je dorp verloochent. Je blijft net zo lang zitten tot ik zeg dat je op mag staan.'

Eva kijkt op. Ze vraagt zich af waarvan Luna die persoon kent. Weet hij wel dat ze dood is? Misschien was hij wel op de begrafenis. Ze opent de vijfde brief en leest verder.

Lieve Luna,
Drie uur achter elkaar zat ik op mijn knieën onder de bijbel in de hoek van de kamer toen mijn vader thuiskwam.

'Omhoog jij!' Hij trok me ruw aan mijn arm en gaf me een keiharde knal voor mijn kop. Mijn neus bloedde, maar dat was niets vergeleken bij de ondraaglijke gedachte dat mijn woensdagmiddagen met Rutger voorgoed voorbij waren.

Hoe moest ik dit aan Rutger vertellen? Ik wist nu al dat ik het niet durfde. Toch moest hij het weten, dus ik nam me plechtig voor het te vertellen zodra ik op school kwam. Als hij, zoals elke ochtend, in zijn eentje bij het fietsenhok stond, kon ik het in het voorbijgaan zeggen, zodat niemand zag dat we contact hadden. Ik had deze truc al eerder uitgeprobeerd om hem voor een vuile streek te waarschuwen.

Met bonkend hart reed ik de volgende ochtend het schoolplein op.

Robbie sprong voor mijn fiets. 'Halt jij!'

De anderen kwamen er ook bij staan. 'Je hebt gelogen, vuil onderkruipsel. Je hebt helemaal geen brood bezorgd in dat tyfushuis.'

'Ik heb niet gelogen,' zei ik. 'Amy heeft het verzonnen.'

'Je hebt ons een vieze vuile streek gelapt. Je hebt bij de vijand gespeeld. Voor we je afmaken willen we weten wat je daar hebt gedaan.'

Ik voelde Robbies woede. Ik kende de jongens en ik be-

greep dat ik wel iets heel bijzonders moest verzinnen wilde ik niet in elkaar worden geramd.

De bel ging. In de verte zag ik Rutger de school in gaan.

'Nou, vertel op!'

'We moeten naar binnen,' zei ik.

'Wat nou, naar binnen. Kop open. Nu.'

'We hebben gerookt,' zei ik snel. 'Rutger had sigaretten.'

Hun mond viel open. Ik wist zeker dat ze er meer over wilden weten, maar ik had mazzel. Het hoofd van de school wenkte dat we naar binnen moesten, dus vroegen ze niet verder.

'Die gast heeft sigaretten,' zeiden ze tegen elkaar toen we de school in renden.

Rutger zat al op zijn plek bij het raam. Als ik naar mijn plaats liep, moest ik langs zijn tafeltje. Hij keek me aan. Toe dan, zei ik tegen mezelf. Zeg dat je niet meer kunt komen. Ik keek naar hem, haalde diep adem en liep door.

Toen de juf met de rug naar de klas stond, viel er een propje op mijn tafel. Onder de tafel vouwde ik het open.

HOE KOMT RUTGER AAN SIGARETTEN? GEEF ANTWOORD, ANDERS SLAAN WE JE VERROT, NET ALS RUTGER. ROBBIE.

Pas toen we aan het werk waren durfde ik te reageren. Ik krabbelde een paar zinnen op het verkreukelde briefje. RUTGER PIKT ZE VAN ZIJN MOEDER EN ALS DIE NIET MEER HEEFT, KOOPT HIJ ZE BIJ VAN DAM.

Dit moest indruk maken. Niemand van school kon sigaretten bij Van Dam kopen. Hij kende iedereen uit het dorp en stapte zo naar je ouders. Maar ik had bedacht dat Rutger dat wel kon, omdat Van Dam geen stap op het vervloekte erf zou zetten.

'Allemaal langs de bosjes,' beval Robbie tussen de middag. Ik had Rutger nog steeds niets gezegd. Ik weet dat het laf van me was, er was gelegenheid genoeg geweest, maar ik vond het afschuwelijk om hem pijn te doen. Ik was bang dat hij zou denken dat ik hem ook liet vallen, net als alle anderen.

We zaten in de bosjes verstopt toen Rutger langsfietste.

'Halt!' Robbie dook naar voren. 'Geef ons een sigaret, vlug.'

Rutger keek verbaasd.

'We weten dat jij met hem hebt gerookt gistermiddag. Wij willen ook een sigaret, anders geloven we het niet.'

'Ik heb niks bij me,' zei Rutger handig.

'Vanmiddag, na schooltijd heb je ze, anders gaat je kop eraf, begrepen?' Robbie pakte zijn fiets en racete weg. De andere jongens volgden. Ik reed naast Rutger.

'Ik heb geen sigaretten,' zei hij. 'Waarom heb je dat gezegd?'

'Je moet ze kopen,' zei ik, 'dan doen ze je niks.'

'Ik heb geen geld.'

'Ik wel,' zei ik. 'Vanmiddag krijg je het.' Ik moest het zeggen, maar ik kon het niet. Ik wist dat mijn spaarpot leeg was, maar ik moest hem helpen. 'Ik moet naar huis,' zei ik en ik scheurde weg.

Toen ik de deur van de winkel opendeed, rook ik weer draadjesvlees.

'Handen wassen!' riep mijn moeder vanuit de kamer.

Met schone handen ging ik de kamer in. Iedereen zat al aan tafel, behalve mijn zus. Sinds ze op de middelbare school zat, kwam ze niet meer tussen de middag naar

huis. Mijn moeder knikte met haar hoofd. Dat beteken-
de dat we onze handen moesten vouwen. Ze bad hard-
op.

'Here Jezus, wij danken U voor deze maaltijd. Wilt U
onze jongen zijn zonden vergeven en hem bijstaan, zodat
hij zoiets nooit meer zal doen? Wilt U hem ondanks zijn
vergrijp toch tot U nemen? Amen.'

Ze schepte aardappels, vlees en groenten op mijn bord.
Ik was dol op draadjesvlees, maar dit keer at ik zonder te
proeven. Ik dacht aan hoe ik aan het geld moest komen. Ik
had ineens een idee.

'Mijn buik!' *zei ik en ik sprong op en rende naar de wc.*
Ik deed de deur open, maar ik ging niet naar binnen. Ik
sloop op mijn tenen de winkel in, deed een greep in het
blikje met wisselgeld dat mijn vader meenam als hij brood
bezorgde en schoot de wc in. Net op tijd, want ik hoorde
de kamerdeur.

'Gaat het, jongen?' *Mijn moeder klopte op de deur.* 'Heb
je diarree?'

'Ja,' *zei ik en voordat ze het wilde zien trok ik gauw*
door.

Pas op de fiets durfde ik te kijken hoeveel geld ik had.
Het was genoeg.

Na schooltijd ging de hele groep mee naar het dorp.

'Hij durft ze niet te kopen,' *zei Robbie.* 'De lafaard. Het
is een vuile leugen, jullie hebben niet gerookt.'

Ik keek net als de anderen vol spanning naar Rutger, die
zijn fiets voor de winkel van Van Dam zette. Op school
had ik het geld in zijn jaszak gestopt. Hij ging naar binnen.

Ik hield de deur in de gaten. Als hij de sigaretten maar kreeg. Misschien wilde Van Dam hem niks verkopen, omdat hij te jong was. Achter me hoorde ik wat Robbie van plan was als Rutger zonder sigaretten naar buiten kwam. Ze zouden ons meenemen naar de bosjes, een peuk op straat zoeken, aansteken en in ons vel uitdrukken. Met een scheermesje zouden ze de L in onze arm kerven: leugenaar. Ik rilde. Ik keek onafgebroken naar de deur. Waarom duurde het zo lang? Eindelijk ging de deur open. Mijn hart stond stil. Rutger liep naar zijn fiets en reed naar de geparkeerde vrachtwagen waar wij ons achter hadden verstopt en hield een pakje sigaretten omhoog.

Robbie griste het uit zijn hand. 'We gaan smoken!' Hij stapte op zijn fiets en reed voorop. Ik dacht dat hij ons weg zou sturen, maar Rutger en ik mochten alle twee mee.

Rutger hoorde erbij! Hij was toegelaten tot de groep. Nu durfde ik het hem wel te vertellen, zodra er gelegenheid voor was.

'Paffen, boys!' Robbie reed de struiken in. Ik had mee willen doen, maar ik had huisarrest en bleef staan. De jongens gingen om Robbie heen staan. Rutger stond ertussen.

'Rutger!' Ik wenkte hem. Hij mocht zomaar naar me toe lopen. Hij mocht alles.

'Eh... ik vind het rot om te zeggen,' zei ik zachtjes. 'Maar eh... Nou, eh... juf Annabel kan niet meer komen. Ik heb huisarrest.'

'Hoepel op met die stomme juf! Juf Annabel is dood.' Grinnikend liep Rutger terug naar de jongens, mij alleen achterlatend.

De weilanden, de dijk, de huizen, ze zagen er grauw uit in mijn ogen. De zon stond in de sloten, maar zelfs dat maakte niets uit. Het was de donkerste dag van mijn leven. Ik was op weg naar huis, maar er was niets waarvoor ik nog leefde. Mijn school, mijn vrienden, het interesseerde me niet meer. De buurman kwam op een tractor voorbij. Anders zwaaide ik altijd, maar het was alsof ik mijn arm niet omhoog kreeg. In een waas zette ik mijn fiets neer en liep de winkel in. De winkel die ik vanaf jongs af aan kende, maar die me nu vreemd voorkwam.

'Je blijft op je kamer,' zei mijn moeder. 'Dat weet je, hè?'

Het deed me niets, al had ze gezegd dat ik nooit meer van mijn kamer mocht. Ik ging de trap op. Iets in me was kapot. In mijn hoofd hoorde ik Rutgers stem. 'Juf Annabel is dood.'

Zo voelde ik me ook, alsof ik dood was en van heel ver weg naar alles keek, alsof ik er niet meer bij hoorde. Ik ging mijn kamer in en stortte op mijn bed neer. Wat nu? Was dit liefdesverdriet? Ik kende het gevoel niet, ik was nog nooit verliefd geweest. Ooit had Tosca uit mijn klas bekend dat ze verliefd op me was. We zaten toen in groep zes. Misschien was ze nog steeds verliefd, maar dat interesseerde me niet. Toen ze zei dat ze op me was, heb ik bij haar thuis gespeeld. Tosca kon heel knap figuren maken van een draadje wol dat ze om haar duim en wijsvinger deed. Met haar andere vingers trok ze dan aan de draad en dan werd het een kop en schotel. Ik wilde dat ook leren, maar Tosca wilde zoenen en toen ben ik nooit meer gegaan.

Ik dacht aan Rutger, hij had me niet alleen ruw afgewezen, maar hij had me voorgoed laten vallen nu hij in het groepje was opgenomen. Hij had me niet meer nodig, dat was duidelijk.

Ik dacht aan onze kus, aan de intimiteit die er was geweest. Ik vroeg me af of ik verliefd was op Rutger. Ik moest het weten. Ik kneep mijn ogen dicht en dacht aan hem. Wilde ik met hem zoenen? Ik probeerde het me voor te stellen. Ik, als juf Annabel in een jurk, met Rutger. Ineens wist ik het, drong het besef glashard tot me door. Ik was niet verliefd op Rutger. Het was iets veel ergers, iets waar ik al jaren stilletjes mee vocht. Ik wilde de juf zijn. Ik raakte in paniek, omdat ik nu zeker wist wat ik altijd al had gevoeld. Ook toen ik vroeger op school met de meisjes hinkelde en meedeed met touwtjespringen. Ik was zeven en de juf liet het toe. Totdat de meisjes een nieuw spel hadden bedacht. Kappertje. Ze namen haarspeldjes mee van huis met My Little Pony erop. Ik vond ze prachtig. Ze vroegen of ik hun haar wilde vlechten omdat ik het zo goed kon. Toen staken ze twee speldjes in mijn haar. Ik voelde me zo mooi. Maar zij lachten omdat het een grapje was, en dat deed zo'n pijn, want ik wilde niks liever dan een vlecht in mijn haar. De juf zag het. 'Nu is het klaar.' Ze trok de speldjes eruit en nam me bij mijn arm mee naar de jongens. 'Voortaan is dit jouw plek.'

Maar ik was geen jongen.

Ik voelde een druk op mijn borst die steeds erger werd. Ik kreeg geen lucht meer en rende naar het raam, dat ik gauw openwrikte. Ik zou nooit de zoon kunnen zijn die mijn vader wenste. Ik kon het niet, ook al moest ik elke zomer naar een survivalkamp, wat mijn vader vaak voorstelde. Ik was geen jongen. Ik zag er alleen uit als een jongen. Ik liet me op mijn bed vallen en bonkte uit wanhoop met mijn vuisten op mijn kussen. 'Ik ben geen jongen!' huilde ik. 'God heeft een fout gemaakt.'

Wat een vreselijk verhaal. Eva moet eigenlijk studeren, maar ze kan de brieven niet wegleggen en leest verder.

Lieve Luna,
Ik voelde me ziek en bleef in bed. Het leek alsof alle kracht uit mijn lichaam was verdwenen. Ik moest van mijn moeder de temperatuur opnemen, maar ik wist dat ik geen koorts had. Ik hield de thermometer onder de warme kraan en liet hem zien. Achtendertig zeven. Ik hoefde niet naar school. Ik wilde ook nooit meer naar school. Ik at niet, en als mijn moeder melk voor me neerzette, liet ik het door het fonteintje lopen. Ik lag in mijn bed en zag geen uitweg meer. Ik had me vaker depressief gevoeld, maar dan bad ik en dat hielp dan. Nu kon ik ook niet eens meer bidden. Ik had geen enkel houvast meer, zelfs mijn geloof was weggevallen. Ik wilde er niet meer zijn.
Maar op de derde dag vroeg ik me opeens af of ik de enige op de wereld was die in een verkeerd lichaam zat. Toen iedereen sliep ging ik mijn bed uit en sloop mijn vaders kantoortje in, dat tegelijk onze bijkeuken was. Ik kroop achter de pc die op een oud tafeltje stond en ik googelde een paar trefwoorden. Mijn hart bonsde terwijl ik begon te lezen. Er ging een wereld voor me open. Ik was niet de enige, er waren veel meer kinderen die hetzelfde probleem hadden. Zouden zij er net zoveel moeite mee

hebben als ik? Ik wilde dat ik ze kende, ik wilde ze van alles vragen. Er was zelfs een vereniging. Even was de diepe eenzaamheid die ik al jaren voelde weg. Toen ik doorlas, vulden mijn ogen zich met tranen. Ik kreeg ineens weer ruimte in mijn lijf en mijn hoofd. Ik kon mijn ogen niet geloven, maar het stond er echt. Er bestonden hormonen en operaties. Later kon ik een meisje worden. Maar het was nog niet later. Ik moest mezelf aanpakken, anders werd het nooit later. Het gevoel dat ik een meisje kon worden, was overweldigend, het gaf me nieuwe kracht.

Ik mijmerde over hoe ik mijn haar zou dragen en wat voor soort kleren ik aan zou doen. Ik moest het meisje dat ik was laten bestaan, al was het af en toe maar even, anders werd alles gitzwart en hield ik het geen jaren vol. Ik had Rutger niet nodig. Ik had niemand nodig. Het kon ook hier, op mijn eigen kamer. Ik hoefde me niet per se als juf te verkleden, ik kon gewoon mijn echte zelf zijn. Het was een geheim, diep in me, een geheim dat ik misschien ooit met die kinderen die net zo waren als ik zou kunnen delen.

Toen ik weer een keer op school was, moest ik ineens denken aan de doos op zolder. De doos vol kleren die mijn moeder daar verzamelde. Kleren die mijn zus en mij niet meer pasten. Ik wist dat de blauwe jurk van mijn zus ertussen zat. Ze had een scène gemaakt toen ze hem weg moest doen. Maar haar borsten groeiden en de laatste keer dat ze zich in de jurk had geperst, moest ze zich van mijn moeder omkleden. 'Uit die jurk, wat denk je wel. Hij gaat naar zolder.'

Mijn borsten kon ik zo groot en zo klein maken als ik zelf wilde. Ik straalde al bij de gedachte aan die jurk. Van-

middag was het veilig. Mijn moeder stond alleen in de winkel, dus kon ze niet weg, en mijn zus had huiswerkbegeleiding en kwam pas voor het avondeten thuis. Ik kon niet wachten tot de bel ging, ik racete naar huis, naar mijn kamer. Toen ik een klant hoorde, deed ik de deur van mijn kamer zachtjes open en sloop de zoldertrap op. Het was donker op zolder. Ik pakte de zaklamp van de spijker en scheen in het rond. Onder de oude tafel stond de doos. Ik schoof hem voorzichtig naar voren. De winkeldeur! Er ging een schok door me heen. Ik hoorde mijn moeder naar de wc gaan. Vol spanning luisterde ik, maar nadat ze de wc had doorgetrokken ging ze terug naar de winkel. Ik scheen met de zaklamp in de doos, maar eigenlijk had ik helemaal geen lamp nodig. Ik voelde met mijn handen, ik voelde iets glads en zachts. Het was hem! Ik hield hem in mijn handen, de blauwe jurk. Nu was het mijn jurk en ik drukte hem tegen mijn borst. Ik schoof de doos weer terug. Niemand zou het merken.

'Met deze kleren maken we anderen blij,' zei mijn moeder toen de lievelingsjurk van mijn zus in de doos verdween. De doos was bestemd voor de rommelmarkt die elk jaar op school voor een goed doel werd gehouden. Maar er was vast niemand zo blij als ik met die jurk. Ik hield de jurk tegen me aan, zoals ik vroeger deed als ik iets moois had en bang was dat het van me werd afgepakt. Ik sloop mijn kamer in en danste van geluk. Ik had geen spiegel op mijn kamer, maar dat hoefde niet. Ik hoefde mezelf niet te zien, ik wilde het juist voelen. De jurk gleed over mijn kleren. Ik had geen hakken en geen bh, maar het was al mooi genoeg. Deze prachtige blauwe jurk was nu van

mij, helemaal alleen van mij. Ik wilde weten hoe het was om als meisje mijn huiswerk te leren en ik ging achter mijn bureau zitten. Ik sloeg mijn taalboek open en las de moeilijke woorden die we moesten leren schrijven hardop voor. Zelfs mijn stem klonk anders, veel blijer, en het leek alsof ik de woorden makkelijker in mijn hoofd kreeg. Ik stond op en liep door mijn kamer heen en weer. Mijn lichaam voelde zo soepel. Dit was ik, dit was ik altijd geweest en later zou ik altijd zo mogen zijn.

9

Eva vouwt de laatste brief dicht. Raar, dit kan toch nooit de laatste brief zijn? Er staat niets onder. Geen groet of zoiets. Ze kijkt naar het stapeltje op de grond, maar er ligt niets meer. Vreemd, heel vreemd. Nu weet ze nog niet wie dit is. Wat had Luna met deze persoon? Ze heeft haar nooit iets over hem verteld. Ze dacht dat ze zo close waren, dat ze alles met elkaar deelden. Ze aarzelt. Zal ze die brieven ook aan de anderen laten lezen? Ze zit nog met haar hoofd bij de inhoud van de brieven als de bel gaat.

Ze bergt de brieven snel op. Als ze de deur opendoet, hoort ze Barts voetstappen op de trap.

'Hi.' Hij houdt een rode roos voor zich. 'Omdat ik gister-avond zo streng tegen je was. Sorry, ik had meer rekening met je moeten houden, schat. Wil je me vergeven?'

'Goed dat je er bent,' zegt ze en ze geeft hem een kus. 'Koffie?'

'Ah, stroopwafels!' Bart valt in de stoel neer.

'Ik moest toch iets,' zegt Eva, die water in het koffiezet-apparaat giet. Terwijl het water doorloopt, zet ze de roos in een fles. 'Mooi!'

'Weet je wie ik tegenkwam bij de bloemenstal? Remco. Hij ging naar het graf van Luna. Nou, Eef, hij heeft echt niets met Luna's dood te maken. Als je iemand uit het raam hebt geduwd, ga je niet met een bos bloemen naar zijn graf.'

'Of juist wel,' zegt Eva.

'O, lieve schat, je verdenkt hem nog steeds, hoor ik.'

'Bart, deze discussie hebben we gisteravond ook gevoerd. Je bent hier toch niet gekomen om het weer voor Remco op te nemen?'

'Het gaat me helemaal niet om Remco. Eigenlijk kan die gast me geen bal schelen. Ik ben alleen bezorgd om jou, liefje. Waar kom je in terecht door al die verdenkingen? Het is al erg genoeg wat er met Luna is gebeurd, ik wil je beschermen.'

'Please, Bart, noem je dat beschermen? Je ontkent iets wat je niet zeker weet. Je moet me juist begrijpen, dan bescherm je me, dan heb ik steun aan jou. Nu niet, je probeert het alleen maar uit mijn hoofd te praten, daar maak je me alleen maar kwaad mee. En het lukt je toch niet.'

'Eef, luister nou naar me. Doordat je twijfelt aan Luna's ongeluk, blijf je er onnodig lang in zitten. Je draait jezelf erin vast, in je eigen hersenspinsels. Ik wil dat je weer gelukkig wordt. Zo blijf je maar twijfelen.'

'Dat is echt niet zo vreemd,' zegt Eva. 'Nel, uit de kantine, had dat ook.' Ze gaat tegenover Bart zitten. Ze heeft nog geen zin om op zijn schoot te zitten. 'Nel bleef zich maar van alles afvragen over de dood van haar zus. Ze had een verkeersongeluk gehad. Het werd een obsessie, zei ze.'

'Hèhè, nou zijn we er,' verzucht Bart. 'Dat wil ik jou dus besparen, snap je me nou?'

'Maar dat kun je niet!' zegt Eva geïrriteerd. 'Weet je wat Nel heeft gedaan? Ze is naar een paragnost gegaan. Hij heeft haar alles kunnen vertellen en toen had ze rust.'

'Dit meen je niet, een paragnost? Daar geloof je toch niet in, hè? Dat is voor heel naïeve mensen, die gaan naar dat soort dingen. Oplichters zijn het, ze lullen maar wat. Dat is pas eng, dat moet je dus nooit doen. Het idee alleen al dat je erover nadenkt... Hou ermee op, Eef.'

Eva springt kwaad overeind. 'Ik hou er zeker mee op, hier hou ik mee op, om er met jou over te praten. Je kunt me niet helpen, Bart. Je snapt er niks van. Je zegt alleen het verkeerde. We houden erover op, voorgoed. Er komt alleen maar ruzie van.' Ze kijkt Bart aan. Ze hoopt dat hij belooft haar wel te begrijpen, dat hij er alles voor zal doen, maar dat doet hij niet.

'Je hebt gelijk, het onderwerp is te moeilijk. We hebben het er voorlopig niet meer over,' zegt Bart. 'Weet je, ik moet je nog iets spannends vertellen. Er is een landelijke wedstrijd uitgeschreven voor de indrukwekkendste foto van het afgelopen jaar. Ik ga meedoen, Eef. Ik heb twee foto's die in aanmerking komen, maar jammer genoeg mag je er maar één insturen. Ik kom er niet uit welke. Ik zal ze je alle twee laten zien, dan kun je me helpen. Het is goed voor je, dan heb je iets anders aan je hoofd. Ik heb ze bij me, wil je ze nu zien?'

Eva schudt haar hoofd. 'Nu even niet.'

'Stel je voor dat ik bij de laatste honderd zit,' gaat Bart verder alsof hij Eva niet heeft gehoord, 'dan komt mijn foto in een boek. Het liefst wil ik natuurlijk winnen, maar dat wil iedereen. De winnaar krijgt tienduizend euro. Als ik dat win, gaan we samen op reis.' Hij gaat naast Eva zitten. 'Ben je dan trots op me?' Hij duwt haar zachtjes naar achteren.

'Nee, Bart, nu niet.' Hij snapt ook niks, denkt ze boos. Ze weet dat ze zelf heeft voorgesteld om het niet meer over Luna te hebben, maar nu Bart praat alsof er helemaal niets is gebeurd, is ze toch teleurgesteld. Ze begrijpt even helemaal niets van zichzelf.

'Ga maar weg,' zegt ze als Bart haar niet-begrijpend aankijkt. 'Het klinkt misschien stom, maar ik wil liever alleen zijn vanmiddag.'

'Je bent toch niet boos, liefje?' Bart pakt haar hand.

'Zeur niet.' Eva maakt zich los. 'Natuurlijk ben ik niet boos, ik wil gewoon even alleen zijn, ik bel je wel.'

Als hij weg is, zakt ze in haar stoel neer. Ze voelt zich als verlamd. Waarom is alles toch zo ingewikkeld? Ze heeft heimwee naar de tijd dat ze nog op de middelbare school zat en thuis woonde. Als ze zich dan zo voelde, had ze tenminste nog de warmte van haar ouders. Nu heeft ze niets om op terug te vallen. Ze heeft zin om haar moeder te bellen, maar ze doet het niet. Ze is volwassen en moet het zelf opknappen. Ze is heel beschermd opgevoed. Eigenlijk kwam ze daar pas achter toen ze met Luna omging. Luna was veel zelfstandiger, die huilde nooit meer bij haar moeder uit. Dat kon ook niet, want haar ouders hadden het veel te druk met hun kunst.

Eva's moeder stond altijd voor haar klaar. Toen ze net op kamers was hoefde ze maar te piepen en haar moeder kwam het hele eind naar Utrecht rijden. Ze dacht dat dat heel normaal was. Ze besprak alles met haar moeder. Dat doet ze inmiddels niet meer. Ze hebben nog wel een warme band, maar ze moet het nu zelf kunnen. Kijk naar Fleur, die heeft nooit steun van haar ouders. Die zijn na Fleurs eindexamen naar Australië geëmigreerd. Ze heeft ook geen zus of broer hier, helemaal geen familie. Dat lijkt haar best eenzaam. Eva weet dat ze zo naar haar ouders kan als er echt iets is. Bij Nathalie thuis is het zo'n beetje hetzelfde als bij Eva. Ook een warm nest. Ze moesten zich alle twee losrukken, zo voelde het. Ze hebben heel wat tranen gelaten om de veiligheid en de warmte van thuis los te laten. De kindertijd lag voorgoed achter hen. In het eerste jaar van haar studie had Eva het er helemaal niet makkelijk mee. Ze kon niet zo goed alleen zijn. Het ging beter toen Luna ook bij haar in huis kwam wonen, maar in die tijd was Luna nog weleens een weekendje weg en dan wist Eva zich geen raad. Dan zat ze daar op vrijdagavond op haar kamer, helemaal alleen, met niks leuks in het vooruitzicht. Ze kende nog niemand. Ze wilde zo graag naar huis gaan, maar ze deed het niet. Ik moet ze loslaten, dacht ze. Als haar moeder dan belde om te vragen of ze nog kwam, was het zo moeilijk om niet te gaan huilen.

Ze hoort Fleur op de gang en loopt naar de deur.

'Hi.'

'Je ziet eruit alsof je een klotedag hebt gehad,' zegt Fleur.

'Klopt.'

'Een wijntje?' vraagt Fleur.

'Daar ben ik wel aan toe.'

'Ik kwam Nathalie in de Appie tegen, ze komt ook een

wijntje drinken.' Fleur houdt een fles wijn omhoog. 'Twee negenennegentig in de bonus.'

'Weet je waar ik zin in heb?' zegt Eva. 'In een joint. Ik heb nog een plukje liggen.'

'Sorry,' zegt Fleur. 'Ik moet nog studeren vanavond. Ik neem ook maar één wijntje, anders wordt het niks.'

Eva baalt. Dat is nou het verschil met Luna. Als een van de twee een jointje nodig had, dan deden ze het altijd.

Eva vindt het fijn dat ze bij Fleur hebben afgesproken. Fleurs kamer ademt een prettige, warme sfeer uit, dat kan ze nu wel gebruiken. Het is net alsof je in een warm bad komt. Hoe ze het voor elkaar krijgt weet Eva niet, maar het is er zo knus. Haar kamer is bezaaid met maffe dingen, zoals oude lampjes en allerlei kandelaars met gekleurde kaarsen, en op de grond liggen superlekkere kussens waar je helemaal in kunt wegzakken. En ze heeft een wand vol oude foto's die ze op een rommelmarkt heeft gevonden. Eva loopt achter Fleur aan, haar kamer in, en laat zich lekker in een van de kussens wegzakken. 'Kom maar op met die wijn.'

'Dus jullie snappen, niemand moet iets verkeerds tegen me zeggen of ik ontplof,' zegt Eva als ze over haar problemen met Bart heeft verteld. Over de brieven aan Luna heeft ze maar niks gezegd. Ze wil eerst zelf uitzoeken wat ze te betekenen hebben en wie de schrijver is.

Fleur schenkt Nathalie en Eva nog een wijntje in.

'Neem zelf ook wat,' zegt Eva.

'Ik moet nog studeren, weet je nog,' zegt Fleur. 'Maar mag ik eerlijk zijn? Op het gevaar af dat je ontploft, ik snap Bart wel een beetje. Je blijft er ook in hangen, Eef.'

'Dus jij vindt het normaal dat Remco me twee keer heeft voorgelogen en dat hij zogenaamd een alibi had waar geen snars van klopt?'

'Nee, natuurlijk is dat niet normaal. Maar hij zal er wel een reden voor hebben. Maar ik weet zeker dat het niets met Luna's ongeluk te maken heeft. Remco is een doodgoeie jongen. Hij is niet verplicht ons alles eerlijk te vertellen wat hij met Luna had. Wanneer hij haar heeft gesproken en wanneer niet. Eef, ik heb hem op de begrafenis gezien, hij was kapot van verdriet. Hij had niets gefrustreerds.'

'Nee, hij gedraagt zich heel normaal, hij heeft Luna's mobiel uit mijn kamer gejat.'

'Je hebt geen bewijs.'

'O nee? Vannacht stond hij aan de overkant en liet hij hem zien. Hij hield hem op en lachte.'

'Maar was dat wel zo? Hoe kun je dat nou zien vanaf zo'n afstand? Eef, heb je het je niet verbeeld?'

'Jezus, Fleur, ik word hier gek van. Zeg jij eens wat.' Eva stoot Nathalie aan.

'O eh, sorry.' Nathalie kijkt op van haar mobiel. 'Ik was er even niet bij. Ik heb een sms'je van Jim. "*Wauw...! Ik denk nog steeds aan je,*"' leest ze met een dromerig gezicht hardop voor.

'Slijm slijm...' zegt Fleur lachend.

'Ik vroeg wat aan je,' zegt Eva. 'Of heb je niks van mijn verhaal gehoord?'

'Natuurlijk wel, ik schrik er ook van dat Remco geen alibi heeft. Eef, ik sta echt wel achter je, daar klopt niks van. O sorry, ik heb weer een sms'je.' Nathalie leest het binnengekomen bericht en zegt: 'Hij moet morgen onverwacht naar Gent voor een optreden. Hij vraagt of ik kom. Hij wil ook met me naar het theaterfestival daar.'

Eva zucht.

'Dat zou ik dus nooit doen,' zegt Fleur. 'Wat moet je met een boy die helemaal in Amerika woont? Dan moet je weer afscheid nemen. Je bent er net overheen.'

'Misschien is het stom van me,' zegt Nathalie grinnikend, 'maar ik kan het aanbod niet weerstaan. Ik ga checken welke trein ik moet hebben.' Ze staat op en verdwijnt naar haar eigen kamer.

'O o,' grijnst Fleur. 'Sorry, Eef, maar ik moet aan mijn studie. Denk nog eens na over wat ik zei.'

Eva staat op en loopt naar de deur. Wat een afknapper. Ze heeft niets aan haar vriendinnen. Ze snappen er helemaal niets van, net als Bart. Van ellende gaat ze maar vroeg naar bed. Wat moet ze anders? Ze heeft zich al heel lang niet zo eenzaam gevoeld. Zal ze een jointje roken? Ze aarzelt, dat zou dan de eerste keer zijn dat ze in haar eentje blowt. Ze vraagt zich af of ze dat wel moet doen. Haar mobieltje gaat.

'Eva, met Arthur. Ik wil je nog een keer zeggen dat je gerust met ons mee kunt gaan zeilen. Ik heb het geaccepteerd dat je Bart hebt. Het zou toch te gek zijn als we zoiets leuks nooit samen kunnen doen? We hebben juist zo'n gezellige werkgroep.'

'Sorry, Arthur, lief dat je belt. Ik geloof je wel, maar ik denk niet dat ik het moet doen. Het gaat toch al zo moeizaam tussen Bart en mij.'

'Nog steeds?'

'Juist nu, na al die spanningen. Ik ben mezelf niet, dat is voor Bart ook lastig.'

'Logisch dat je jezelf niet bent. Je bent je beste vriendin verloren, dat heeft nogal wat impact.'

Eva wordt rustig van de toon waarop Arthur tegen haar praat. Zo begrijpend, zo oprecht en medelevend, totaal anders dan Bart en haar vriendinnen.

'Je vertelde op de begrafenis dat jij en Luna tussen de middag nog samen hadden geluncht en dat, toen je thuiskwam, ze dat afschuwelijke ongeluk had gehad.'

'Als het een ongeluk was.' Ze schrikt er zelf van, maar het is er al uit.

'Wat bedoel je?' vraagt Arthur. 'Het was toch een ongeluk?'

'Sorry, dit had ik niet moeten zeggen,' zegt Eva. 'Vergeet het alsjeblieft.'

'Eva, volgens mij zit jij met iets heel groots. Wil je er soms over praten?' Als het stil blijft, zegt hij: 'Hallo? Ben je er nog?'

'Ja,' zegt Eva met tranen in haar ogen. 'Ik ben er nog.'

'Eva, kom naar de Vuurtoren, dan drinken we een glaasje.'

Waarom vertel ik je dit allemaal? denkt Eva als ze tegenover Arthur in de Vuurtoren zit. Ze gooit haar glas whisky in één keer achterover. Arthur stoot per ongeluk tegen haar voet. Er gaat een schok door haar heen. Ze verpulvert een bierviltje dat voor haar op het tafeltje ligt.

'Ik had je hier helemaal niet mee lastig moeten vallen,' zegt ze. Ze kijkt Arthur aan. Die blik! Veel te lief, dat moet ze nu juist niet hebben.

'Je hoeft niet bang te zijn,' zegt Arthur, 'ik vertel dit echt niet door. Niemand krijgt het te horen.'

'Dank je.' Ze glimlacht naar hem. Waarom zit ze hier nog steeds? Het is veel te ongemakkelijk. Zo onvolwassen van mezelf, denkt ze. Omdat Bart en mijn vriendinnen me niet begrijpen stort ik mijn hart bij Arthur uit. Wat moet hij ermee? Hij schuift zijn bierglas maar heen en weer. Waarom zegt hij niks?

'Vind je me hysterisch dat ik Remco verdenk?' vraagt ze.

'Ik vind het heel logisch dat je ermee zit,' zegt hij. 'Er kloppen dingen niet en die verbind jij met elkaar. Misschien heeft die Remco iets met de dood van Luna te maken. Maar het kan ook van niet. Belangrijker is dat het jou bezighoudt.'

'Bart wil dat ik het loslaat.'

'Dat kan Bart wel willen, maar dat lukt je dus niet. Je moet er iets mee, Eva.'

De manier waarop hij haar naam uitspreekt, maakt haar verlegen. Ze voelt dat ze rood wordt en kijkt gauw opzij. Ze had nooit naar de Vuurtoren moeten komen. Ze is veel te gevoelig nu Bart en zij elkaar totaal niet begrijpen. Ze snapt ineens dat je in zo'n situatie vreemdgaat, maar zo stom is ze niet. Ze houdt van Bart, ook al zou ze hem nu wel achter het behang willen plakken.

'Het heeft geen zin om dit verhaal aan de politie te vertellen,' zegt ze. 'Die paragnost van Nel, misschien is dat een optie.'

'Waarom ga je niet naar Derek Ogilvie,' zegt Arthur. 'Mijn buurmeisje werkt bij dat programma. Het schijnt dat er heel veel mensen zijn die er wat aan hebben. Als je dan toch denkt aan iets in die richting, dan zou ik altijd voor hem kiezen. Hij heeft zich bewezen.'

'Bart wordt gek als ik daarmee aankom.'

'Eva.' Arthur kijkt haar indringend aan. 'Het gaat nu niet om Bart. Jij hebt een probleem. Zo word je gek. Je zoekt antwoord op een voor jou belangrijke vraag.'

Eva knikt. 'Een superbelangrijke vraag. Het houdt me dag en nacht bezig. Het klinkt raar, maar het is alsof ik Luna in mijn hoofd hoor die zegt dat ik het moet uitzoeken.'

'Nou, dat lijkt me niet niks. In dit soort situaties moet je altijd aan jezelf denken. Het is jouw hoofd, jouw gedachten, jouw stress. Als je wilt, maak ik zo een afspraak voor je. Denk er maar over na. Nog een whisky'tje?'

'Eén dan.' Ze wil niet dronken worden, in deze situatie met Arthur is dat heel onverstandig. Ze weet hoe het werkt als ze te veel drinkt, dan wordt ze veel losser. Als hij terugkomt met een bier en een whisky, kijkt ze naar zijn prachtige, stoere lijf. Als ze Bart niet had, dan wist ze het wel.

Fleur zit met haar laptop op schoot op haar bed. Ze heeft net geskyped met Hanke van de community. Hanke vond dat ze helemaal niet naar Amsterdam moet verhuizen. 'Er zijn daar maar een aantal cafés die leuk zijn,' zei ze. 'En daar komt iedereen. Je kunt erop wachten dat je hem tegen het lijf loopt.' Alleen het idee al. Fleur huivert.

Hanke raadde haar aan zich in te schrijven voor een stage ergens in het land, niet te dicht bij Utrecht. 'Dan neem je daar een kamer en dan ben je ook weg. Wie weet kom je ook in Groningen terecht,' zei ze.

Fleur klikt de site van haar school open. Er zijn inderdaad heel veel verschillende mogelijkheden, ook in het buitenland. Wauw! Dat wist ze niet eens. Dat lijkt haar helemaal super. Ze stuurt meteen een mailtje naar haar studiebegeleider.

Ik zoek een stageplaats in het buitenland, schrijft ze. *En wat mij betreft kan het niet ver genoeg zijn.*

10

Eva heeft een kater als ze de volgende ochtend wakker wordt. Dat derde glas whisky had ze niet meer moeten nemen, maar het was zo gezellig, en gelukkig is er niks gebeurd. Niet iets wat Bart niet zou mogen weten. Arthur was nog zo lief om haar naar huis te brengen. Wel een gentleman, hij is meteen weggegaan. Geen gezeur en gebedel dat hij mee naar binnen wilde. Ze was zo blij dat hij het niet probeerde, want zo sterk stond ze niet in haar schoenen na die drie glaasjes. Waarom kan Bart nou niet zo reageren als Arthur? Arthur denkt tenminste met haar mee, hij verplaatst zich in haar gevoelens. En Bart is nog wel haar vriend. Nou ja, ze weet hoe Bart is, zich in een ander inleven is niet zijn sterkste kant. Soms heeft hij behoorlijk autistische trekjes. Arthur bleef zeggen dat ze naar Derek moet gaan. Op zich is het geen gek idee. Stel je voor dat ze er iets aan heeft. Ze denkt dat ze het Bart niet eens vertelt. Hij kan er toch geen normaal woord over zeggen, dat weet ze nu al, en dan krijgen ze weer ruzie. Ze herinnert zich ineens dat ze gisteravond een sms'je van Bart had gekregen. Dat bekijk ik thuis wel, had ze toen gedacht. Maar door de whisky is ze het helemaal vergeten. Ze opent het bericht. Hè, nee! *Ik heb de keus al gemaakt. Deze foto wordt het. Ik hou van je.* Wat is het toch een mega-eikel. Ze heeft niet eens zin om naar de foto te kijken, maar ze maakt hem toch maar open. Wauw! Die foto heeft hij 's nachts gemaakt, er staat een graffitikunstenaar in actie op. Bart mag dan wel een hork zijn, talent heeft hij wel. Ze krijgt meteen weer een warm gevoel voor hem. Natuurlijk zegt hij verder niks. Ze heeft zelf voorgesteld dat ze het er niet meer over zouden hebben. Dat moet ook niet meer. Het is niks voor Bart. Hij is niet zoals Arthur, hij heeft niet zoveel geduld voor dit soort dingen, hij heeft überhaupt niet zoveel geduld, alleen als het om zijn werk gaat. Hij is altijd een beetje speedy. Ze neemt een paracetamol, kleedt zich aan en loopt de keuken in.

'Koffie?' vraagt Nathalie. 'Ik heb zo'n zin om naar Gent te gaan.'

'Morning, ladies,' zegt Fleur, die stralend binnenkomt. 'Ik heb me gisteravond opgegeven voor een stageplek in het buitenland.' Ze vertelt over haar plannen.

'Heftig,' zegt Nathalie. 'Dan moet je afwachten waar je terechtkomt.'

'Ja, het kan overal zijn,' zegt Fleur. 'Ik vind het wel spannend. Al is het op de Noordpool.'

Eva krijgt een rotgevoel. Haar vriendinnen hebben allerlei plannen en zij is de enige die zich met Luna's ongeluk bezighoudt. Ze hoort Fleur en Nathalie samen lachen.

'Gent is mijn project,' grinnikt Nathalie en ze slaat een kop pikzwarte koffie achterover.

'Als je maar niet verliefd op die gast wordt.' Fleur smeert jam op een boterham.

'Welnee,' zegt Nathalie. 'Het is een avontuur, meer niet. Ik ben niet gek, ik weet zelf toch ook wel dat het niks kan worden.'

'Ik heb ook een avontuur,' zegt Eva. 'Ik ga naar Derek Ogilvie.'

'Dat meen je niet,' zegt Nathalie.

'Ja, ik wil weten of het een ongeluk was of niet.' Ze kijkt haar vriendinnen uitdagend aan. 'Ik ben gek dat ik het jullie vertel. Jullie zijn met heel andere dingen bezig.' Ineens voelt ze zich eenzaam. Niet alleen is ze Luna kwijt, maar haar vriendschap met Fleur en Nathalie lijkt ook zoveel veranderd.

'Het lijkt wel een verwijt,' zegt Fleur.

'Ja,' zegt Nathalie. 'Natuurlijk zijn wij met andere dingen bezig. Snap je dat dan niet? Jij blijft erin hangen, Eef. Jij projecteert je verdriet en je wanhoop op Luna's ongeluk.'

'Hoezo projecteer ik?' roept Eva schril. 'Het klopt toch niet van Remco?' Met een klap zet ze haar koffiekopje op het aanrecht.

'Jij bijt je erin vast,' zegt Nathalie rustig. 'Vanaf het begin. Dat is jouw manier om met Luna's dood om te gaan. Prima, maar je vergeet dat wij ook een vriendin zijn verloren. Wij hebben ook zo onze manier om dit te overleven.'

'En die zul je wel moeten respecteren,' zegt Fleur. 'Het is toch te gek dat we ons moeten verantwoorden alleen maar omdat we verder willen leven.'

Nathalie gaat aan het keukentafeltje zitten zonder nog iets te zeggen.

'Nou hebben we nog ruzie ook,' zegt Eva, die de spanning niet meer aankan, en ze begint te huilen.

Nathalie begint ook te huilen. 'Ik zou misschien nooit naar fucking Gent zijn gegaan,' zegt ze snikkend.

'En ik niet naar de Noordpool,' zegt Fleur.

'Sorry,' zegt Eva. 'Ik snap het. Het is gewoon kut.'

'Kut met peren,' zegt Fleur. 'Maar laten we ervoor zorgen dat we niet ook nog eens elkaar verliezen.'

Nathalie kijkt door het raam van de coupé naar buiten. Ze zucht van opwinding als de trein weer gaat rijden. Nog één halte en dan is ze in Gent. Ze had nooit van zichzelf gedacht dat ze dit zou doen, naar Gent op een doordeweekse schooldag. En dat voor een jongen die helemaal aan de andere kant van de wereld woont. Ze snapt wel dat Fleur haar voor gek verklaarde, het heeft geen enkel toekomstperspectief.

Tegenover haar is een man komen zitten. Ze voelt dat hij naar haar kijkt. Toen ze nog op de middelbare school zat vond ze dat doodeng. Ze zou zeker naar een andere coupé zijn gevlucht. Maar ze is inmiddels wel wijzer. Ze kijkt hem recht in zijn gezicht aan. Het werkt, want hij houdt meteen op met staren. Ze haalt het briefje waar het nummer van de bus op staat uit haar zak. Ze heeft opgezocht hoe ze bij het hotel moet komen. Ze naderen het station, ze voelt de spanning in haar lichaam. Verheugt ze zich niet veel te veel op hun weerzien? Misschien wordt het wel een mega-afknapper. Als dat zo is, blijft ze echt niet slapen, dan neemt ze vanavond nog de trein terug naar huis. Ze heeft een sms'je van Eva. *Geniet ervan! Kus.* Ze is wel van plan ervan te genieten, anders had ze beter naar school kunnen gaan. Het wordt toch een toestand, want ze hebben een project waarbij je maar één keer een les mag missen, en ze is al een keer ziek geweest. Dit heeft ze er dus allemaal voor over. Wel lief van Eva, want vanochtend zei ze er niets meer over. Fleur heeft gelijk, ze moeten elkaar niet kwijtraken. Dat gebeurt heel vaak in zulke situaties, dan krijg je samen nog ruzie ook. We reageren alle drie anders op Luna's dood, dat is wel duidelijk. Het is bizar, maar waar.

Lief van je, en ik ga met je mee naar Derek, sms't ze terug. Ze kan Eva toch niet alleen laten gaan? Ze weet zeker dat Fleur niet meegaat. Het is niks voor Fleur, die griezelt al bij de gedachte aan zo'n show. De trein rijdt nog als ze opstaat. Ze doet haar rugzakje om en loopt vast naar de deur, alsof ze bang is dat ze te laat is om uit te stappen. Ze moet om zichzelf grinniken. Hoe verliefd kun je zijn? Langzaam rijdt de trein het station binnen. Ze kijkt naar buiten als de deuren opengaan. 'Jim!' Hij staat daar, recht voor haar. Hij tilt haar uit de trein, zwiert haar in het rond terwijl hij haar kust. Onder een lange kus zet hij haar neer. Nathalie weet niet wat haar overkomt. De adrenaline stroomt door haar lijf. Ze heeft geen idee hoe lang ze daar staan, innig kussend op het perron van Gent. Mensen rennen gehaast langs hen. Een vrouw botst tegen hen op, maar ze hebben niks in de gaten. Ze hebben nog geen woord met elkaar gewisseld, ze zoenen alleen maar. Als ze uitgekust zijn, kijken ze elkaar stralend aan. Jim slaat zijn arm om haar heen en loopt met haar naar de trap. Ze doen een paar stappen en dan kussen ze elkaar weer. Jim had beloofd met haar naar het theaterfestival te gaan. Ze wilden een paar acts bekijken, maar dat gaat niet. Ze moeten eerst naar het hotel, ze moeten vrijen, dat is duidelijk. Ze kunnen geen seconde van elkaar afblijven. Als ze de trap af komen, ziet ze een bord met een pijl waar de bussen staan.

'We moeten naar rechts,' is het eerste wat ze tegen Jim zegt.

'We gaan met een taxi,' zegt hij en hij trekt haar mee.

Jim opent de deur van de hotelkamer. Nathalies oog valt op een rode roos, die op een van de kussens op het bed ligt. Ze moet er stiekem om grinniken. Ze weet niet wanneer hij hem heeft gekocht, maar de roos is al bijna verlept. Ze staan nog niet in de kamer of haar kleren vliegen al in het rond. Ze trekt Jims T-shirt over zijn hoofd en maakt zijn broek los. Hij duwt haar achterover op bed en duikt zo'n beetje boven op haar. Hij kust haar wild, ook in haar nek. Ze weet zeker dat ze nu een paar zuigplekken heeft. Ze voelt zijn stijve tegen haar been en neemt hem tussen haar vingers. Ze zijn veel en veel te opgewonden. Het lukt ze nauwelijks het condoom om te krijgen. Ze kunnen niet wachten, alsof elke seconde telt. Als hij in haar zit, schuift het bed piepend en krakend over de houten vloer heen en weer, maar dat horen ze niet eens. Als ze klaarkomen maken ze zo'n lawaai dat er op de muur wordt gebonkt. Ze moeten heel erg lachen.

'Je maakt me gek,' fluistert Jim in haar oor. Hij streelt haar hele lichaam en sabbelt aan haar teen. Daarna staat hij op, pakt zijn gitaar, gaat op de rand van het bed zitten en begint voor haar te spelen. Het is zo romantisch, Nathalie wist niet dat het bestond, dacht dat zoiets alleen in films voorkwam. Hij speelt een liefdeslied. Als het nummer voorbij is, begint hij haar weer te zoenen. Opnieuw voelt ze zijn stijve...

Ze hebben zo'n beetje alle standjes gedaan die Nathalie kent als de buren weer op de muur bonken. Tussendoor heeft Jim steeds voor haar gespeeld.

'Het festival kunnen we wel vergeten,' zegt hij lachend.

'Is het al zo laat?'

'Ik moet al bijna optreden,' zegt Jim. 'Maar we gaan nog wel samen wat eten.' Ze kleden zich aan en nog geen vijf minuten later lopen ze hand in hand door Gent, alsof ze elkaar al heel lang kennen. Nathalie wil er liever nog niet aan denken dat hij morgen weer terugvliegt naar L.A.

Ze gaan het eerste het beste eetcafé binnen. Ze hebben toch geen tijd om uitgebreid te eten, het gaat alleen om een hapje.

'Dus jij wilt later een eigen band?' zegt Nathalie als ze aan een tafeltje zitten.

Jim knikt trots. 'En dat gaat ook gebeuren.'

'In Utrecht?' plaagt ze.

'Dat gaat jammer genoeg niet,' zegt Jim. 'Nederland is veel te klein. Ik moet in L.A. blijven. Misschien als we zijn doorgebroken dat ik ergens anders kan gaan wonen.'

'Zomaar ergens anders?'

Hij pakt haar hand. 'Misschien in Utrecht?' Hij kust haar.

Ze proosten en kijken elkaar recht in de ogen. Dit is niet zomaar een avontuurtje, denkt Nathalie. We vallen op elkaar. Ze vraagt zich af of Jim het ook zo beleeft; ze denkt van wel. Waarom vertelt hij anders van alles over het leven in L.A.? Zelfs dat er een goede opleiding is voor fotografen? Jim kijkt op zijn mobiel als het eten wordt gebracht. Hij hoopt dat hij het redt, want hij moet op tijd in de kleedkamer zijn.

'Vergeet me geen kaartje te geven,' zegt Nathalie terwijl ze haar eten snel naar binnen werkt. 'Anders kom ik er niet eens in.'

Eerlijk gezegd ziet ze ertegen op om alleen in zo'n grote zaal te zitten.

'Jij hebt geen kaartje nodig,' zegt Jim. 'Je hoort bij mij, je blijft backstage.'

11

Eva gaat vanavond bij Bart eten. Ze zit op haar kamer en vraagt zich af of ze hem over Derek Ogilvie zal vertellen. Misschien beter van niet. Ze kreeg nog een sms'je van Arthur of ze over zijn plan om naar Derek te gaan had nagedacht. Ze denkt dat ze het doet. Nathalie heeft beloofd mee te gaan, dat vindt ze wel fijn. Helemaal in haar eentje naar zo'n show lijkt haar toch wel heel heftig. Eva heeft het er nog niet met Nathalie over gehad. Ze kwam ook zo hyper terug uit Gent eergisteren. Laat haar maar eerst even bijkomen.

Eva schrikt als Fleur plotseling haar kamerdeur opendoet.

'Je gelooft het niet!' Ze zwaait met een papiertje in de lucht en danst door Eva's kamer. 'Eef, weet je nog dat Nathalie en ik ons een keer een lot hebben laten aansmeren? Jij vond het nog zo belachelijk. Geldverspilling, riep je nog, maar we hebben prijs!'

'Wat?'

'Tweeduizend euro is op dit nummer gevallen. Volgens mij was Nathalie het al helemaal vergeten, ik ook trouwens. Ik had het opgeborgen in mijn doosje met waardevolle papieren. Het is maar goed dat ik naar het buitenland wil, want daardoor keek ik net in dat doosje om te zien of mijn paspoort nog geldig is. Zie ik ineens dat lot liggen. Ik ging meteen op de site kijken. We hebben tweeduizend euro gewonnen. Het was bijna verlopen, gekken die we zijn. Als ik een paar dagen later had gekeken, hadden we niks gekregen.' Ze valt Eva om de hals.

'Super, Fleur, maar weet je het echt zeker? Ik bedoel: je hoeft je maar een cijfertje verkeken te hebben en...'

'Eef, hou op. Ik ben niet gek.' Fleur pakt haar laptop en klikt de site aan. 'Alsjeblieft.' Ze geeft het lot aan Eva.

Eva vergelijkt de cijfers. 'Ja, hoor. Geweldig! Jullie hebben ieder duizend euro. Nathalie ging zeker helemaal uit haar dak?'

'Ze weet het nog niet, ik heb haar natuurlijk meteen gebeld, maar haar mobiel stond uit. En ik had geen zin om het op haar voicemail in te spreken. Na de les zal ze wel terugbellen.'

'Je moet niks zeggen,' zegt Eva. 'Het is een verrassing voor als ze thuiskomt. We halen champagne.'

'Niks champagne, we gaan weer eens bij ons Italiaantje eten,' zegt Fleur. 'Ik trakteer.'

Fleurs mobiel gaat. Ze neemt meteen op. 'Hi, Nathalie.'

'Je hebt me gebeld.'

'Ja, heb je vanavond tijd? We gaan naar ons Italiaantje.'

'Ik heb mijn laatste cent in Gent uitgegeven.'

'Ik trakteer,' zegt Fleur. Ze knipoogt naar Eva.

'Alsof jij zo rijk bent,' zegt Nathalie.

'Ik heb wat te vieren. Jij ook trouwens, maar dat weet je alleen nog niet.'

'Wat heb ik te vieren?'

'Dat hoor je vanavond. Ciao.'

'Wat hebben jullie een mazzel. Ik zou bij Bart eten,' zegt Eva. 'Maar dat zeg ik wel af.' Eigenlijk staat haar hoofd helemaal niet naar gezellig uit eten, maar als ze de band met haar vriendinnen goed wil houden, zal ze toch ook iets voor de vriendschap over moeten hebben.

'Ik bewaar het geld voor mijn stage,' zegt Fleur. 'Het komt zo goed uit nu ik naar het buitenland ga. Wie weet hoe lang ik wegblijf, dan kan ik het wel gebruiken.'

'Ik weet wel wat Nathalie ermee gaat doen,' zegt Eva.

'Ik ook,' zegt Fleur met een grijns. 'Een nieuwe camera kopen.'

Eva knikt. 'Daar zeurt ze al heel lang over. Maar nu ik erover nadenk, haar muziekinstallatie is ook kapot. Ik geloof dat ze dat nog liever wil.'

'Die dingen zijn heel duur, misschien gaat ze ervoor sparen.'

'Sparen? Nathalie?' Eva schiet in de lach. 'Dat geld wordt meteen uitgegeven. Ik denk toch een camera.'

'Ik denk een muziekinstallatie,' grinnikt Fleur. 'Wedden?'

'Oké, waar wedden we om?' vraagt Eva.

'Wie wint mag ons nog een keer op een etentje trakteren,' zegt Fleur.

'Deal.'

Als Fleur het geld van het postkantoor ophaalt, belt Eva Bart.

'Hi, schat,' zegt Bart vrolijk. 'Ik zit net op de website van de wedstrijd te kijken. Weet je hoeveel inzendingen er zijn? Tienduizend. Tienduizend mensen hebben een foto ingestuurd. Over een week horen we wie door mogen naar de tweede ronde. Er zijn in totaal drie rondes.'

'Spannend,' zegt Eva. 'Ik hoop dat je erbij zit. Weet je wie ook een prijs hebben gewonnen? Nathalie en Fleur.'

'Waarmee?'

'Met een lot dat ze zich ooit hebben laten aansmeren toen ze knetterstoned waren. Ze hebben tweeduizend euro gewonnen, ieder duizend.'

'Mazzelaars,' zegt Bart. 'Ik zag Nathalie net nog lopen, ze zag me niet, ik floot nog, maar ze keek niet om.'

'Ze mag het nog niet weten, we gaan het vanavond vieren in ons Italiaantje en dan hoort ze het. Ik kan dus niet bij jou eten. Erg?'

'Niet gezellig, maar ga jij maar lekker feesten met je vriendinnen. Ik ben allang blij dat je weer durft te genieten.'

'Ik bel je vanavond laat nog wel even,' zegt Eva. 'Kus.'

Lief van Bart, daar is hij nou weer een kei in. Hij gunt haar altijd haar pleziertjes. Remco zou heel anders hebben gereageerd. Die voelde zich dan afgewezen en werd woedend. Daarom durfde Luna nooit iets af te zeggen.

Ze heeft Remco niet meer gezien. Ze krijgt meteen een rotgevoel als ze aan hem denkt. Het is maar goed dat ze hem nog niet is tegengekomen, misschien lukt het haar dan niet om haar mond te houden. Vannacht werd ze weer eens hyperventilerend wakker. Ze moet het uitzoeken, Arthur heeft gelijk. Eerder heeft ze geen rust en het wordt wel tijd dat het voorbij is, want ze raakt aardig uitgeput van die ellendige nachten. Ze pakt haar mobiel en belt Arthur. Als hij niet opneemt, laat ze een boodschap voor hem achter.

'Hoi, Arthur, met Eva, ik doe het, ik ga naar die show van Derek. Dat heb ik besloten, goed hè? Nou ja, je bent er dus niet, we spreken elkaar nog wel, ciao.'

Wel heel afstandelijk, ciao, maar wat moet ze dan zeggen? Liefs?

'Drie champagne,' zegt Fleur als ze in het Italiaantje zitten.

'Champagne?' Nathalies mond valt open. 'Heb je de geldpest?'

'Ja,' zegt Fleur lachend. 'En jij ook.' Ze wacht tot de champagne voor hen staat. 'Proost, Nathalie, dat je maar een mooie muziekinstallatie mag kopen.'

'Of een megacamera,' zegt Eva.

'Wat is hier aan de hand?' Nathalie moet lachen. 'Ik snap hier dus echt helemaal niks van.'

Fleur legt het lot voor haar neer. 'Snap je het nu?'

'Nee!' gilt Nathalie. 'Hebben we prijs?'

Fleur knikt. 'Gefeliciteerd.'

'Hoeveel?'

'Ieder duizend euro,' zegt Fleur.

'Te gek!' Nathalie slaat een arm om Fleur heen en kust haar. 'Duizend euro, ik kan het nu wel goed gebruiken.'

'Wij mogen hier wel vast reserveren voor de volgende keer,' zegt Eva. 'Een van ons zal moeten betalen. We hebben namelijk gewed wat jij ermee gaat doen. Ik zei dat je een camera gaat kopen en Fleur denkt een muziekinstallatie. Wat wordt het?'

'Geen van beide,' zegt Nathalie. Ze kijkt haar vriendinnen triomfantelijk aan. 'Ik koop een ticket naar L.A.'

Eva moet samen met Nathalie de keuken opruimen. Ze is een beetje laat, maar ze hoeft niet bang te zijn dat Nathalie al is begonnen. 'Nathalie!' roept ze, terwijl ze de keuken in loopt. Nathalie komt er meteen aan.

'Wat een troep,' verzucht Eva. 'Dit vind ik dus echt goor.' Ze kijkt met een vies gezicht in een pan met etensresten. Aan de schimmel te zien moet het er al dagenlang staan.

'Dat doen die gasten van boven. Viezeriken,' zegt Nathalie. 'Ik hoop niet dat het er bij Jim thuis ook zo ranzig uitziet. Hij woont met twee andere muzikanten.'

'Je gaat echt, hè?' Eva boent met een schuursponsje in de pan.

Nathalie pakt een schone theedoek en droogt de kopjes af. 'Jim was zo verrast. Hij vond het in Gent net zo moeilijk als ik om afscheid te nemen. Vooral omdat ze voorlopig niet meer in Europa hoeven te spelen. We voelden alle twee dat we niet zomaar uit elkaars leven konden verdwijnen. En nu kan ik een ticket kopen. En weet je wat ik superlief vind? Hij betaalt de helft.'

'Sorry, hoor,' zegt Eva. 'Maar dat vind ik dus heel normaal. Weet je al wanneer je gaat?'

'Ik ga vandaag meteen boeken,' zegt Nathalie stralend.

Eva laat van schrik haar schuursponsje in het sop vallen. 'Je zou meegaan naar Derek, je moet wachten tot ik weet naar welke show we kunnen.'

'Voorlopig kunnen we niet naar een show. Ik heb voor je op hun site gekeken en ze zitten het komende halfjaar helemaal vol. Nou, voor die tijd ben ik wel weer terug,' zegt Nathalie.

'Arthur kent iemand van de redactie,' zegt Eva. 'Ze zou een plek voor ons reserveren.'

'Denk je nou echt dat dat lukt?'

'Ik hoor het zo,' zegt Eva. 'Hij zou me straks bellen.'

'Dan wacht ik nog even met boeken.' Nathalie kijkt naar het lege aanrecht. 'Netjes genoeg?'

'Ik vind het zo wel weer mooi,' zegt Eva. 'En ik zeg tegen de jongens dat zij volgende week keukendienst hebben. We zijn niet helemaal crazy. Als ze verzorgd willen worden, gaan ze maar weer bij hun mammie wonen.'

Eva loopt haar kamer in als Arthur belt. 'Eef, je hebt mazzel. Ze heeft jullie ertussen geschoven. Echt super, want alles zat vol. Twee plaatsen heeft ze voor je gereserveerd.'

'Wat goed van je.' Eva vindt het ineens eng. Wie weet wat ze daar te horen krijgt.

'Het is niet al te ver weg. Het is in Gouda. Ook daar heeft ze rekening mee gehouden. Aanstaande donderdag zit jij bij Derek.'

'Dank je, ik ben er hartstikke blij mee.'

'Goed, ik hoop dat je er iets mee opschiet. Maar eh... hoe zit het met ons zeilweekend?'

'Eerst deze missie,' zegt Eva. 'Ik bel je nog. Bedankt, hè?'

Ze loopt Nathalies kamer in. 'We mogen donderdag al naar Derek, in Gouda, lekker dichtbij.'

'Goed,' zegt Nathalie, dan vlieg ik vrijdag naar L.A. Ik ga meteen boeken.'

Eva baalt ervan dat Nathalie de volgende dag al naar Amerika vertrekt. Ze hebben dan nauwelijks de tijd om er samen over te praten. En Nathalie zit natuurlijk al half met haar gedachten bij de reis, die denkt alleen maar aan Jim. Zal ze vragen of ze een paar dagen later wil gaan? Maar dan bedenkt ze dat ze niet moet zeuren. Het is al fijn dat ze meegaat. Ze denkt niet dat Nathalie er echt iets in ziet. Eigenlijk weet ze dat wel zeker. Ze zei wel dat ze het interessant vond om een keer zo'n show live mee te maken en ze kickt erop dat ze op tv komt, maar dat is het dan ook. Eva doet het alleen omdat ze wil weten of Luna een ongeluk heeft gehad, niet om op tv te komen. Ze kijkt naar het boek dat ze heeft gekocht over paranormale verschijnselen. Vanmiddag doet ze dus helemaal niets, dat heeft ze zich voorgenomen. Ze gaat lekker met haar voeten op tafel in een luie stoel zitten lezen. Een pot jasmijnthee erbij, een reep chocola, en lekker chillen. Het lijkt wel een eeuwigheid geleden dat ze dat heeft gedaan. Ze zet thee, legt de chocoladereep op de stoelleuning klaar en nestelt zich heerlijk in haar luie stoel. Ze komt hier de hele middag niet meer uit.

Ze is verdiept in haar boek als er wordt aangebeld. Het zou Bart kunnen zijn. Ze staat op om open te doen. Maar het zijn niet Barts voetstappen die ze op de trap hoort. Nieuwsgierig doet ze de deur open.

'Remco, jij!' Wat moet hij hier ineens? Als ze had geweten dat hij het was, had ze nooit voor hem opengedaan. Maar wat moet ze? Hem afschepen bij de deur? Ze kijkt hem aan, hij ziet eruit alsof hij heeft gebruikt. Hij heeft een gejaagde blik in zijn ogen.

'Ik moet je spreken,' zegt hij en voor ze hem kan wegsturen loopt hij langs haar heen haar kamer in.

Dit wil ik helemaal niet, denkt ze.

Hij gaat op het puntje van de bank zitten, alsof hij elk moment kan opspringen. 'Ik hield van Luna.' Hij verheft zijn stem. 'Dat weet je, ik hield heel veel van haar. Ik kan wel zeggen dat ik nog nooit zoveel van een vrouw heb gehouden.' Hij kijkt Eva aan. 'Misschien juist daarom...'

Eva verstijft.

'Jij bent de enige aan wie ik dit vertel,' zegt hij terwijl hij naar haar toe buigt. 'Alleen jij krijgt dit te horen. En ik zweer je, na dit gesprek zet ik voorgoed een punt achter dit afschuwelijke drama. Dat heb ik mezelf gezworen.'

Gadverdamme. Er gaat een rilling door Eva heen. Wat gaat hij haar vertellen?

'Ik ben nou eenmaal agressief,' zegt Remco. 'Daar baal ik zelf ook van, maar zo ben ik nu eenmaal. Juist degene van wie ik het meest hou, heb ik pijn gedaan. Luna wist het, ze wist het, verdomme.' Hij slaat met zijn vuist op tafel. 'Misschien heeft ze het je wel verteld. Maar toen ik haar een keer met een ander zag heb ik haar een klap gegeven. Je hoeft niks te zeggen. Ik weet dat het fout was, helemaal fout, maar het is gebeurd. Tijdens die momenten van jaloezie heb ik mezelf niet meer in de hand.'

Hij heeft het gedaan... Eva wordt bang. Er is helemaal niemand in huis.

'Ik moet het kwijt,' zegt hij, 'alleen aan jou. En weet je waarom? Ik zie jou als een verlengstuk van Luna. Ik kom hier om nog één ding te doen.'

Eva kijkt hem angstig aan. Wat bedoelt hij met 'ik kom hier om nog één ding te doen'? Ineens weet ze het. Zij? Bedoelt hij dat zij uit de weg geruimd moet worden, net als

Luna? Ze wil gillen, maar het heeft geen zin, want er is niemand thuis.

'Denk jij dat Luna een ongeluk heeft gehad?' vraagt hij alsof het een verhoor is.

'Eh... ik weet het niet,' zegt Eva gauw om hem niet nog kwader te maken. Wat kan ze doen?

'Luister,' zegt hij. 'Ik help je uit de droom, daar ben ik voor gekomen.' Hij gaat staan.

Eva springt in paniek op. 'Ik moet weg, ik heb een heel belangrijke afspraak. Helemaal vergeten.' Ze rent naar de deur.

'Een paar minuten maar,' zegt hij en hij loopt naar haar toe.

'Sorry, ik bel je voor een afspraak.' Eva rent de gang door.

'Het was geen ongeluk!' schreeuwt hij, terwijl hij haar achternagaat. 'Het was verdomme geen ongeluk. Luister naar me.'

'Ik wil niet te laat komen!' zegt Eva, de trap af rennend. Als ze eerst maar buiten is.

'Eva! Je moet het weten.' De deur van haar kamer wordt dichtgeslagen.

Eva rent het huis uit, de straat door. Ze hoort zijn voetstappen vlak achter zich en ze spuit de straat over naar de bushalte en springt in de bus. Zonder om te kijken verdwijnt ze tussen de passagiers.

Haar hart klopt in haar keel als de bus door het centrum rijdt. Hij weet in welke bus ik zit, denkt ze. Ze rijdt niet naar het eindpunt, want dan staat hij haar daar misschien op te wachten. Een paar haltes verder stapt ze uit. Ze loopt door een drukke winkelstraat, maar ze voelt zich niet veilig. Ze denkt er niet over om naar huis te gaan voordat ze zeker weet dat Nathalie of Fleur er is. Terwijl ze wat rondloopt, kijkt ze angstig achter zich. Ze heeft zo'n geluk gehad dat ze is weggerend, anders was er misschien precies hetzelfde met haar gebeurd als met Luna. Jij bent een verlengstuk van Luna, zei hij. Zij moet dus ook uit de weg worden geruimd.

Daar is-ie! Midden op straat blijft ze staan. Haar hart bonkt in haar keel. Ze zag Remco, achter een geparkeerde auto. Ze kijkt, maar nu ziet ze hem niet meer. Ze gaat dicht tegen de winkelgevels aan lopen, zodat hij haar niet achter een auto kan sleuren. Kon ze haar ouders maar bellen om te zeggen dat ze haar moeten komen halen, maar die zijn uitgerekend een weekje weg. En Bart hoeft ze niet te proberen, dat heeft geen enkele zin, want die lacht haar alleen maar uit.

Ze hoort iets, achter zich. Ja, hij roept haar naam! Ze hoort Remco's stem en lachje overal bovenuit. Het is hetzelfde valse lachje als die nacht toen hij Luna's mobiel omhooghield. Hij is gek! Ze heeft met een psychopaat te maken. Hij zal haar niet met rust laten tot hij haar heeft vermoord, het is een obsessie. Wat zal Luna bang zijn geweest! Ze vraagt zich af wat hij heeft gedaan dat niemand haar heeft horen gillen. Hij stond vast opeens in haar kamer. Waarschijnlijk had hij een sleutel. Luna vond het nog zo'n onzin dat Eva zei dat ze haar sleutel terug moest vragen toen het uit was. 'Hij doet er niks mee,' zei ze steeds, 'van mij mag hij hem houden.' Gelukkig vonden Fleur en Nathalie het ook belachelijk, dus toen heeft ze hem teruggevraagd. Die engerd heeft hem natuurlijk laten namaken. Hij zou hem in die week door de brievenbus gooien. Heel listig, hij is waarschijnlijk eerst langs de sleutelbar gegaan. Hoe zit het eigenlijk met haar eigen sleutel? Hij ging haar achterna en heeft de deur dichtgeslagen. Haar sleutel ligt nog open en bloot op tafel. Hij kan zo in haar kamer en dan kan hij hem pakken. Die sleutel moet daar weg. Ze kan Michael bellen, die woont bij hen in huis. Ze heeft weinig contact met de jongens boven, maar af en toe doen ze weleens iets voor elkaar. Ze weet dat hij meestal om deze tijd thuiskomt, dan geeft hij bijles aan scholieren. Ze haalt haar mobiel uit haar zak en belt hem. Hij neemt meteen op.

'Michael.'

'Hi, met Eva. Ben jij thuis?'

'Bijna. Hoezo?'

'Mijn kamer is niet op slot. De sleutel ligt op tafel. Wil jij hem op slot doen en de sleutel meenemen? Ik haal hem wel op als ik thuis ben.'

'Geen moeite, komt voor elkaar. Ik heb een leerling, maar klop maar gewoon aan.'

Eva is blij dat ze heeft gebeld. Nathalie en Fleur zijn nog lang niet thuis. Waar zal ze heen gaan? Ze komt langs de bioscoop, maar stel je voor dat hij ineens binnenstapt en zij daar in het donker zit? Bij de gedachte daaraan verstapt ze zich. Ineens verstijft ze. Hoort ze zijn lachje achter zich? Ze gaat expres langzamer lopen, maar ze hoort niets meer. Rustig, zegt ze tegen zichzelf. Hier kan nou echt niks gebeuren. Ze loopt in een drukke winkelstraat. Ineens hoort ze weer dat lachje, nu heel dichtbij. Hij moet haar zowat op de hielen zitten. Ze schiet de HEMA in. Hier is ze veilig. Hij zal het wel uit zijn kop laten om haar hier te overvallen, overal zijn camera's. En als ze hem ziet, stapt ze zo naar een of andere beveiligingsmedewerker. Ze moet even bijkomen, haar hele lichaam staat stijf van de stress. Wat een nachtmerrie. Balen dat Nathalie en Fleur er alle twee niet zijn. Ze denkt aan Arthur. Ze gaat bij de handdoeken staan met haar mobiel in haar hand. Ze wil hem bellen als haar mobiel gaat. Is het Remco? Ze kijkt, maar het is Michael.

'Heb je de sleutel gevonden?'

'Ik ben nu in je kamer,' zegt Michael, 'maar op tafel ligt geen sleutel.'

'Heb je echt goed gekeken? Het kan dat hij ergens onder ligt.'

'Hij ligt er echt niet. Ook niet op je kast.' Ze hoort Michael rondlopen in haar kamer. 'Nee, Eva, sorry.'

'Oké.' Ze hangt op en voelt dat ze wit wegtrekt. Remco moet hem hebben gepakt. Toen ze ervandoor ging heeft hij nog snel haar sleutel gepakt. Hij kan nu zo haar kamer in. Stel je voor: ligt ze 's avonds in bed en dan staat hij ineens in haar kamer. Ze moet meteen een ander slot op de deur laten zetten.

Eva loopt door de HEMA. Haar mobiel gaat weer. Zou het Michael zijn? Wie weet heeft hij de sleutel toch gevonden. Maar ze ziet alleen een nummer dat eindigt op 15. Remco! Ze drukt hem weg. Waar zou hij zijn? Misschien ziet hij haar wel. Ze kijkt om zich heen en dan ziet ze iemand wegduiken. Het moet hem zijn, bij de pannen. Die engerd heeft haar zelfs tot in de HEMA achtervolgd! Ze schiet een beveiligingsmedewerker aan. 'Meneer, iemand achtervolgt me.'

De bewaker kijkt haar aan. 'Waar?'

'Daar!' Eva wijst. 'Hij dook weg bij de pannen.'

De man loopt naar het gangpad met de keukenspullen. 'Ik zie niemand,' zegt hij als hij terugkomt.

'Ik zag hem wegduiken,' zegt Eva en ze vertelt hoe Remco eruitziet.

De beveiligingsmedewerker maakt een rondje door de winkel. Na een minuut of vijf komt hij terug. 'Ik zie niemand die op je beschrijving lijkt. Heb je soms iets gebruikt?'

Ook dat nog! Alsof ze een junk is. Niemand gelooft haar. Ze trilt als een rietje als ze de HEMA uit loopt. Ze gaat nu meteen een sleutelmaker bellen. Nu komt het goed uit dat ze internet op haar mobiel heeft. Ze googelt. Er zijn verschillende sleutelmakers. Dag- en nachtservice, die moet ze hebben. Ze tikt het nummer in.

'Hallo, u spreekt met Eva Buitenhof. Kunt u een nieuw slot op mijn deur zetten? Het heeft nogal haast, want ik ben mijn sleutel kwijt en kan niet eens meer afsluiten.'

Als de man zegt dat hij tijd heeft, geeft ze haar adres.

'Over een halfuurtje ben ik bij u.'

'Prima.'

Dan durft ze wel naar huis. Maar ze gaat niet eerder dan dat ze weet dat hij er is. Ze loopt richting huis. Voor de supermarkt om de hoek blijft ze wachten tot de man belt waar ze blijft.

'Ik ben er in één minuut,' zegt ze en opgelucht rent ze naar huis.

Terwijl de man een nieuw slot in haar deur zet, inspecteert ze haar kamer. Het zal haar niks verbazen als die engerd zich ergens heeft verstopt. Ze kijkt onder het bed en in de kast. Daarna inspecteert ze de keuken. Ze kijkt ook in de kastjes onder het aanrecht, waar hij niet in past, maar ze wil er zeker van zijn dat hij er niet is. Ze controleert ook de wc en de badkamer. Hij is er niet, er is echt niemand. Als de man klaar is, geeft ze haar pinpas.

'En nu niet weer je sleutel verliezen, meisie.' Hij overhandigt haar een sleutel en twee kopieën. Ze bergt ze meteen op. Ze laat de man uit en doet de deur op slot. Ze gaat met haar rug tegen de deur staan en zucht opgelucht. Nu voelt ze zich veilig. Ze doet voor niemand open die op haar deur klopt. Haar mobiel gaat weer. Het is weer het nummer met 15 op het eind. Weer Remco. Zou hij weten dat ze thuis is? Ze drukt hem weg. Nathalie en Fleur zullen over een uurtje wel thuiskomen. Ze moet het nog even in haar eentje zien te redden. Haar hele lijf trilt. Ze doet wat ze nog nooit in haar eentje heeft gedaan. Ze pakt een plukje wiet en draait een joint. Na een paar trekjes wordt ze eindelijk rustig.

Als Eva zit te blowen, komt Fleur thuis. Ze heeft een supergoed humeur, loopt meteen door naar haar kamer en zet haar webcam aan. Ze wil skypen met Hanke, maar die is niet online. Balen, ze heeft juist zo'n goed bericht. Haar studiebegeleider heeft haar vandaag bij zich geroepen. 'Er is een interessante stageplek in Rwanda, Fleur. Het lijkt me wel iets voor jou.'

Fleur ging meteen uit haar dak, maar toen hoorde ze dat

er nog een kandidaat is. Ze moeten alle twee op sollicitatiegesprek voor de commissie. Afrika! Fleur ziet het helemaal voor zich. Ver weg van de plek van het ongeluk, van alles. Zes maanden moet ze dan in Afrika blijven. Haar studiebegeleider vroeg nog of het niet te lang voor haar was, maar ze vindt het juist fijn. Misschien zegt ze dan haar kamer wel op voor een halfjaar. Als ze terugkomt ziet ze wel weer. Ze kan met haar vriendinnen skypen. Het zou zo geweldig zijn als ze de stageplek krijgt, dan moet ze een reportage maken over kinderen die hun ouders aan aids zijn verloren. Eindelijk weg van hier, daar heeft ze zo'n behoefte aan. Ze heeft vijftig procent kans. De andere sollicitant kent ze. Het is een jongen die ook altijd heel goed presteert. Het zal niet makkelijk zijn om hem voorbij te streven. Kende ze maar iemand uit de commissie. Ze worden door drie mensen beoordeeld. Met haar studiebegeleider heeft ze een goed contact, maar die andere twee kent ze niet persoonlijk. Ze heeft er alles voor over om die stageplek te krijgen. Is ze daar wel duidelijk genoeg in geweest? Heeft ze wel laten merken hoe graag ze het wil? Ze moet heel goed nadenken over haar motivatie. Er is vast wel iemand in de community die haar daarbij kan helpen.

Eva voelt zich een stuk beter als ze 's avonds bij Nathalie op de kamer zit. Ze heeft verteld dat Remco haar heeft opgezocht en haar achtervolgde.

Nathalie kijkt haar bezorgd aan.

'Wat is er?' vraagt Eva. 'Je denkt toch niet dat ik het verzin?'

'Nee, natuurlijk niet,' zegt Nathalie.

143

Maar Eva is daar nog niet zo zeker van. Ze heeft geen zin meer om er nog verder over te praten. Als Nathalie hier al aan twijfelt, gelooft ze ook niet dat hij haar sleutel heeft gepikt. Wat heeft ze nou aan zo'n vriendin?

Fleur komt de kamer binnengestormd. 'Ik heb kans op een stageplek voor een project in Afrika.'

'Super voor je!' zegt Nathalie.

'Ik moet nog wel op sollicitatiegesprek, er is nog iemand die het wil.'

'Wat houdt het in?'

Fleur vertelt over Afrika, dat ze in de hoofdstad van Rwanda wordt gehuisvest, in het opvanghuis waar kinderen wonen die hun ouders aan aids hebben verloren.

'We duimen voor je!' Nathalie haalt een fles wijn uit de kast. 'Daar toosten we op.' Ze schenkt drie glazen vol. 'Proost.' Nathalie heft haar glas. 'Op Afrika, Fleur.'

'Ja, proost,' zegt Fleur. 'En op L.A. Dat het maar een heel romantisch verblijf mag zijn.'

Als Nathalie voor de zoveelste keer over L.A. begint, over hoe blij ze is dat ze gaat, haakt Eva af. Ze heeft even niets met al die euforie.

'Ik ga Bart even bellen,' zegt Eva als haar glas wijn leeg is, en ze verdwijnt naar haar kamer.

Bart neemt meteen op. 'Hi, schat!' Ze hoort keiharde muziek op de achtergrond. 'Ik sta met John in de kroeg. We zijn alle twee door!'

Eva weet even niet waar hij het over heeft.

'Van de tienduizend deelnemers zijn er nog duizend over en daar zitten wij tussen, Eef.'

O ja, de wedstrijd natuurlijk. 'Geweldig voor jullie. Feliciteer John ook van me,' krijgt ze er met moeite uit. Natuurlijk is ze blij voor Bart, maar ze is zelf nog helemaal in de war.

'We zijn aan het feesten. Ik wou vragen of je ook kwam, ik heb je vanmiddag twee keer gebeld met Johns mobiel, de mijne had weer eens geen bereik. Maar je nam niet op. Maar achteraf is dat misschien maar goed ook. John heeft zijn halve dispuut opgetrommeld, allemaal ballen, daar word jij vast niet blij van. We vieren het wel een andere keer. Jij bent zeker gezellig met je vriendinnen. O eh... ik moet hangen, schat. Er komen al een paar gasten binnen. Kus.'

Eva drukt haar mobiel uit. De tranen staan in haar ogen. Ze weet dat het onredelijk is, maar ze voelt zich zo in de steek gelaten. Ze snapt ook wel dat hij blij is omdat hij door is. Hij verdient het ook, hij zet zich voor duizend procent voor zijn vak in en nu is hij door naar de tweede ronde. Eva staat besluiteloos in haar kamer. Ze heeft geen zin om terug naar haar vriendinnen te gaan. Ze gaat naar het altaartje en pakt Luna's foto en drukt hem tegen zich aan. 'Lieve Luna, ik mis je zo. Het was zo eng! Ik weet nu wat jij hebt moeten doormaken. Van mij wil hij ook af, maar ik beloof je: voor hij mij iets kan aandoen, zorg ik dat hij wordt opgepakt.' Ze zet de foto terug op het altaartje en loopt onrustig heen en weer in haar kamer. Ineens weet ze wat ze moet doen. Ze moet de kroeg in en onder de mensen komen. Ze trekt haar jas aan, stapt op de fiets en rijdt naar de Dominee, het café van haar faculteit. Er is vast wel iemand die ze kent. Maar als ze vlakbij is, weet ze wel beter, het gaat haar niet om zomaar iemand van haar

studie. Ze wil begrepen worden, ze wil aandacht en warmte. Laat ze nou maar eerlijk tegen zichzelf zijn, ze hoopt
dat Arthur er is. Als ze aankomt en Arthurs fiets ziet staan,
begint ze opeens te twijfelen. Waar is ze mee bezig? Ze
weet wat er zal gebeuren als ze nu naar binnen gaat. Tot
nu toe heeft ze zich kunnen beheersen als ze alleen met
Arthur was. Maar ze voelt dat ze dat nu niet kan. Voor ze
het weet ligt ze met Arthur in bed. Is ze niet stom? Ze
denkt aan Bart. Misschien is het een eikel, zoals hij reageert en alleen maar met zichzelf bezig is, maar dit verdient
hij niet. Ze gluurt naar binnen. Arthur staat met een pilsje
in zijn hand met een jongen te praten. Als zij binnenkomt,
laat hij die jongen echt wel staan. Ik maak mijn relatie
kapot, denkt ze. Wil ik dat? Ze heeft zoveel gelukkige momenten met Bart gehad. De ellende is begonnen na Luna's
dood. Ze kunnen het samen niet aan, dat hoor je wel vaker
als er echt iets ergs gebeurt. Maar als zij weer in balans is,
dan lukt het wel. Ze gaat niet voor niks naar Derek. Ze is
bezig deze ellende op te lossen. Dat Bart nou zo'n eikel is
dat hij dat niet snapt, doet er niet toe. Zij weet het, daar
gaat het om. Ze heeft een sms'je van Bart. *I love you.* Ze
kijkt naar het café en dan stapt ze op haar fiets en rijdt weg.

12

Terwijl Fleur op sollicitatiegesprek is, staan Nathalie en Eva in de rij van het theater in Gouda waar de show straks wordt gehouden. De hele dag waren ze aardig relaxed, maar nu ze hier in de rij staan, zo vlak voor de show begint, worden ze zenuwachtig. Het komt ook door de gespannen sfeer die er hangt. Nergens klinkt gelach of een harde stem. De mensen staan stilletjes naast elkaar te wachten tot de deuren opengaan. Iedereen is bang voor wat er gaat komen. Eva puft. 'Ik heb me veel te dik aangekleed, ik stik.'

'Dan heb ik me zeker ook te dik aangekleed,' grinnikt Nathalie. 'Ik heb het ook stikheet.'

Voor hen pakt een man de hand van zijn vrouw. 'Je kunt het wel aan,' horen ze hem zeggen. 'Ik ben toch bij je?'

Maar de vrouw maakt zich los, stapt uit de rij en gaat weg.

'Ik ken dat echtpaar,' horen ze ergens achter zich. 'Ze wonen bij ons in het dorp en hebben hun zoon verloren.'

Eva had geen idee dat de stress van al die mensen zo'n impact op haar zou hebben. En het moet nog beginnen! 'Ik hoop dat Luna er is,' zegt ze zachtjes. Ze pakt Nathalies hand. 'Ik ben superblij dat je mee bent. Dit had ik echt niet getrokken in mijn eentje.' Ze denkt aan Bart. Dit is inderdaad helemaal niets voor hem. De sfeer alleen al, zo beklemmend, hij zou zo zijn weggelopen.

'Ik ben er heel dubbel in,' zegt Nathalie eerlijk. 'Ik denk niet dat ik geloof dat Luna's geest hier straks echt is, maar toch vind ik het spannend.'

'Dan geloof je er dus wel in.'

'Dat zei Jim ook al.'

'Heb je hem verteld dat we naar Derek Ogilvie zijn?'

'Ja, we hebben lang geskyped, ik vertel hem alles. Hij stond er heel positief tegenover. Hij is heel benieuwd hoe het zal gaan. Ik heb hem beloofd alles te vertellen zodra ik thuis ben.'

Eva bespeurt een licht gevoel van jaloezie bij zichzelf. Met Bart is dit dus absoluut niet bespreekbaar. Hij vindt het verlakkerij, en hij snapt niet dat ze dit soort bedriegers sponsort. Hij heeft haar ook niet ge-sms't om haar succes te wensen. Ach, ze laat het maar, ze weet nu dat hij er heel anders over denkt, dat moet ook kunnen.

'Zullen we buiten nog even een rondje lopen,' zegt Nathalie. 'Het duurt nog dik tien minuten voor het begint. Even frisse lucht halen.'

'Nee,' zegt Eva. 'We zijn niet voor niks zo vroeg gegaan. Ik wil een goeie plek hebben. Als we nu weggaan, komen we achteraan in de rij te staan.'

Intussen loopt Derek Ogilvie door de lege zaal heen en weer. De camera's volgen hem. Onder het lopen beweegt hij met zijn vingers. 'Ik voel dat er een spirit aanwezig is,' zegt hij hardop. 'Ik voel er meer, een, twee, drie spirits. Ik zie een kind...' Hij blijft staan en kijkt recht in de camera. 'Ik weet het niet zeker.'

Hij doet zijn ogen dicht en begint weer te lopen. 'Ja, een spirit van een kind is heel sterk aanwezig. De twee andere spirits zijn verdwenen. Ze kunnen terugkomen.' Hij blijft weer staan en voelt, dan knikt hij. 'Ze zijn er weer.'

'We mogen naar binnen.' Eva voelt dat haar hart een slag overslaat als de zaaldeuren opengaan. Nathalie rilt ook even.

Eva trekt haar vriendin mee. 'Vanaf daar kunnen we het goed zien.' Ze is blij dat ze een goede plek heeft weten te bemachtigen. Ze kijkt of ze Derek al ziet, maar hij is nog nergens te bekennen. Iedereen gaat rustig zitten en fluistert zachtjes. Eva heeft vaak met Luna naar zijn shows gekeken, maar in het echt is het heel anders. Je voelt de spanning.

'Moet je zien.' Eva stroopt haar mouw op. 'Ik heb helemaal kippenvel. Het zal wel door de geesten komen.'

'Welnee,' zegt Nathalie nuchter. 'Dat is de stress van al die mensen en van onszelf.'

Ze kijken naar de camera's die rondrijden. Het is een beetje schemerig in de zaal, dat maakt het extra spannend. Twee mensen staan op en lopen de zaal uit, nog voor het is begonnen. Als iedereen zit, klinkt er een gong en dan komt de presentator van het programma naar voren. Eva vindt het een rare gewaarwording: ze heeft vaak naar De- reks programma gekeken omdat Luna dat wilde en nu zit ze hier om te communiceren met haar liefste vriendin.

De presentator legt uit wat er gaat gebeuren en wat er van het publiek wordt verwacht. Als Derek Ogilvie opkomt, moeten ze applaudisseren. Daarna gaat de presentator met zijn gezicht naar de camera staan. De bekende tune volgt en daarna kondigt de presentator Derek Ogilvie aan. Iedereen klapt als hij opkomt. Hij maakt de zaal rustig door grapjes te maken en heen en weer te springen. Thuis voor de tv vond Eva dat altijd zo onzinnig, maar nu ze zelf in de zaal zit voelt ze hoe belangrijk het is om even de spanning te ontladen. Ineens is Derek stil. Hij vertelt dat hij een geest voelt, een kind, en hij loopt naar een vrouw die met haar man vooraan zit. Eva en Nathalie vinden het heel boeiend, maar ze kunnen niet wachten tot Derek de volgende geest voelt. En dat gebeurt. Deze keer ziet hij een man die, zo blijkt later, door een auto-ongeluk om het leven is gekomen.

'Er is nog een geest,' zegt Derek als hij met de geest van de man heeft gepraat.

Eva doet een schietgebedje. 'Laat het Luna zijn, alsjeblieft...'

Nathalie knijpt in haar hand. 'Voel je Luna?'

'Ik weet het niet zeker.' Eva durft het niet te zeggen, maar ze voelt Luna echt. Vol spanning kijken ze naar Derek, die de zaal in kijkt. Hij kijkt hun kant op. Laat het waar zijn, denkt Eva als hij in hun richting loopt. Haar hart staat stil als hij voor haar blijft staan. Ze voelt de camera op zich gericht.

'Ik voel iemand,' zegt Derek, 'en ze hoort bij jou. Ze is jong... een jonge vrouw.'

Eva knikt opgewonden.

'Ik zie een A... en een L...'

'Luna,' zegt Eva onder de indruk. 'Ze was mijn liefste vriendin.'

'Luna is heel blij dat jij hier bent, dat zegt ze.'

Eva knikt alleen maar. Ze kan van ontroering geen woord uitbrengen. Haar lieve Luna is hier in de zaal.

Nathalie houdt haar hand vast.

'Ik zie een schilderij,' zegt Derek.

'Dat klopt,' zegt Nathalie.

'Ik zie een schilderij met een dier erop.'

'Een eenhoorn,' zegt Eva met overslaande stem. 'Dat schilderij heeft Luna zelf gemaakt, ze was kunstenaar.'

'Luna zegt dat ze heel veel van je houdt,' zegt Derek.

Eva's ogen schieten vol tranen.

'Ik zie weer een schilderij... Nee, toch niet, het is geen schilderij. Een raam, klopt dat? Klopt het dat ik een raam zie?'

'Het klopt,' zegt Nathalie, omdat Eva niet kan praten en alleen maar huilt. 'Luna is uit het raam gevallen en door die klap is ze overleden.'

Eva's hart bonkt. Wat gaat er nog meer komen? Wat gaat hij nog meer vertellen?

'Ik ben haar kwijt,' zegt Derek.

Nee! denkt Eva. Niet nu!

'Ze is er weer,' gaat Derek ineens verder. 'Ik zie weer het raam...'

Een tijdje blijft het stil. De spanning in de zaal is om te snijden. Eva houdt haar adem in.

'Ik voel dat er iets met dat raam aan de hand is,' zegt Derek. 'Nu is het weg. Als je wilt, dan maken we een afspraak. Als ik op de plek van het ongeluk ben, kan ik misschien nog meer te weten komen.'

'Ik ben helemaal trillerig,' zegt Eva als ze na de show met de redacteur van het programma een afspraak hebben gemaakt.

'Anders ik wel,' zegt Nathalie. Als ze naar buiten lopen laat ze haar trillende handen zien. 'Ik moet eerst bijkomen hoor, zo ga ik niet in de trein zitten.'

'We hebben een whisky nodig,' zegt Eva.

'Een dubbele,' zegt Nathalie. 'Aan de overkant is een café.'

Ze steken de straat over en gaan het café in. Het is een echt buurtcafé, een beetje oubollig. Mannen zijn aan het biljarten en vrouwen zitten aan de bar. Hier zouden ze anders meteen weer weg zijn gegaan, alleen die muziek al, Hollandse meezingers. Maar ze zijn nog helemaal in een roes. Als ze maar een whisky hebben, de rest maakt ze niks uit.

Nathalie loopt naar een tafeltje achterin.

'Voor mij een whisky,' zegt Eva als de man achter de bar vraagt wat ze willen drinken.

'Doet u er mij ook maar een,' zegt Nathalie. 'Je mag hier roken.' Ze haalt een pakje sigaretten uit haar tas en steekt er een op.

Eva houdt haar hand op.

'Jij roken?' vraagt Nathalie verbaasd. 'Behalve een jointje heb ik jou niet meer zien paffen.' Het is alweer zo'n drie jaar geleden dat Eva stopte met roken.

'Ik kan de spanning nu niet aan.' Eva pakt een sigaret en steekt hem aan.

'Hij zag dus dat er iets was. Weet je dat ik nog tril?' zegt Nathalie. 'Misschien is het dan toch geen ongeluk.'

'Ik heb de hele tijd al zo'n onrustig gevoel gehad,' zegt Eva. 'Alsof Luna wilde dat ik het zou uitzoeken.' Ineens lopen de tranen over haar wangen.

'Op ons onderzoek,' zegt Nathalie als ze haar glas heft.

'En op Luna, die lieverd, ze zei dat ze zoveel van me hield...' zegt Eva snikkend. Ze vindt de sigaret helemaal niet lekker en drukt hem uit.

Nathalie pakt haar hand.

'Wat krijgen we nou?' roept een oudere man die aan de bar zit. 'Toch geen liefdesverdriet, hè meisie? Er zwemmen meer vissen in de zee, hoor.'

De kroegbaas zet 'Een beetje verliefd' op en de hele bar zingt mee. Eva en Nathalie schieten ondanks alles in de lach. Ze kunnen elkaar niet eens meer verstaan.

'Wat zeg je?' roept Eva als Nathalie begint te praten.

'Dat hij echt een afspraak heeft gemaakt,' zegt Nathalie. 'Zo spannend!'

Eva knikt. 'Dat doet hij niet zomaar,' zegt ze als het nummer voorbij is. 'Nou moeten we het weten ook.'

'We moeten Luna's kamer laten zien.'

'We?' Eva neemt een slok. 'Jij vliegt morgen naar L.A.'

'Natuurlijk niet,' zegt Nathalie. 'Ik ga nu niet weg. Ik kan mijn vlucht annuleren tot een uur voor vertrek. Jim moet het maar begrijpen, anders heeft hij pech. Eerst moeten we weten wat er precies bij het raam is gebeurd.'

'Dat vind ik superlief van je,' zegt Eva. 'Ik meen het echt, heel cool van je.' Ze geeft Nathalie een kus. 'Nog een whisky?'

Nathalie knikt. 'Ze zei een paar keer dat ze blij was dat we er waren.'

'Niet zeggen,' zegt Eva. 'Dan begin ik zo weer te janken.' Ze staat op en haalt twee whisky's.

'Drink je liefdesverdriet maar lekker weg, wijfie,' zegt een vrouw.

'Het was zo ontroerend,' zegt Eva tegen Nathalie als ze de whisky neerzet. 'Zoiets is niet eens na te vertellen. Die sfeer en zo, en wat Derek uitstraalde, het was zo bijzonder. Ik twijfelde geen moment, ze was er gewoon, ik voelde het.'

'Nee, toch niet weer, hè?' zegt Nathalie als de bargasten weer beginnen te zingen. Maar gelukkig stoppen ze na een paar regels. 'Ik had nooit gedacht dat ik er zo in op zou gaan,' gaat ze verder, terwijl ze nog een sigaret opsteekt. 'Je mag het eerlijk weten, ik stond er behoorlijk sceptisch tegenover. Eigenlijk ben ik alleen voor jou meegegaan, maar ik geloofde alles wat er gebeurde. Wat hij zei, alles. En toen hij over het raam begon, had hij me helemaal.'

Eva knikt. 'Dat kon hij niet weten. Mijn hart stond stil toen hij daarover begon.'

'Wat denk je van dat schilderij met die eenhoorn?' zegt Nathalie. 'Dat kon hij toch ook niet weten? Toen kreeg ik al rillingen.'

Eva knikt. Ze wordt weer emotioneel.

Nathalie drinkt haar glas in één keer leeg. 'Hèhè,' zegt ze als ze haar glas neerzet. 'Ik had het ijskoud, maar dat is nu over.'

De muziek wordt zachter gezet. 'Het laatste rondje!' roept de kroegbaas. 'Dan gaan we sluiten.'

'Allemaal naar bed!' roept er een. En hij begint te zingen. 'Vogeltje, wat zing je vroeg...'

Eva haalt verschrikt haar mobiel tevoorschijn. 'Hoe laat is het eigenlijk? Shit, één uur!'

'De laatste trein ging om tien voor halfeen,' zegt Nathalie. 'Wat een stelletje sukkels zijn we.'

'Hoe komen we nu thuis?' zegt Eva. 'Ik heb nauwelijks geld op mijn bankrekening staan, een hotelletje zit er niet in.'

'Mijn pas ligt thuis, ik heb hem al ingepakt. Dat vond ik nog zo verstandig van mezelf.'

Eva kijkt Nathalie aan. 'Zal ik Bart bellen? Hij is altijd nog laat op.'

'Probeer het.'

Eva belt Bart. Het duurt even, maar dan neemt hij op.

'Hi, schat, sliep je al?' vraagt Eva.

'Ja eh, ik geloof het wel. Op de bank in slaap gevallen. Hoe laat is het?'

'Eén uur. Nathalie en ik zitten hier in Gouda. We hebben de laatste trein gemist.'

'Ik hoor het al. Ik pik jullie wel op. Waar zijn jullie?'

'In een kroegje tegenover het theater, kan niet missen. Zal ik het adres vragen?'

'Ik vind het wel,' zegt Bart. 'Ik heb navigatie op mijn mobiel.'

'Je bent een schat.'

'Ik ben er over een halfuurtje.'

Eva hangt op.

'Wel lief van hem, hoor,' zegt Nathalie. 'Welke jongen doet dat nou?'

Eva knikt. 'Bart is ook superlief.'

'Laatste rondje!' wordt er weer geroepen.

'Zullen we nog een whisky delen?' stelt Eva voor.

'Daar heb je 'm!' zegt Eva als Bart aan komt rijden.

'Topservice,' zegt Nathalie en ze kruipt achterin.

Eva gaat naast Bart zitten.

'Mijn god, wat een kegel,' zegt Bart. 'Jullie hebben wel gefeest, dames.'

'Super dat je ons oppikt,' zegt Nathalie. 'Dat kan ik dus nooit aan Jim vragen. Zo stom dat hij zo ver weg woont.'

Bart rijdt de grote weg op. Je kunt merken dat het nacht is, er is niet veel verkeer, maar er hangt wel een dikke mist. 'Morgen ga je, hè?' zegt Bart.

'Nee,' zegt Nathalie, 'ik stel het uit.'

'Je weet niet wat we vanavond hebben gehoord,' zegt Eva. 'Schatje, ik weet hoe jij erover denkt, maar hij zag dat er meer aan de hand was bij het raam.'

'O,' zegt Bart. 'En dat geloven jullie?'

'Echt waar, Bart,' zegt Nathalie. 'Ik zag er ook niks in, maar ik ben helemaal om. Hij wist dingen die hij niet kon weten. Hij begon ineens over het raam op Luna's kamer. Hij wil zelfs naar Luna's kamer komen. Hij heeft een afspraak gemaakt.'

'Er zal wel iets zijn wat die gast kan,' zegt Bart terwijl hij een vrachtwagen inhaalt. 'Ik denk dat jullie dat zelf op hem hebben overgebracht. Snap je wat ik bedoel? Hij voelt iets wat in jullie kop zit. Een soort telepathie, zeg maar. Er was dus meer aan de hand bij het raam. Wat dan?'

'Dat weten we niet,' zegt Eva. 'Toen was Luna weg.'

Ze ziet dat Bart bijna in de lach schiet. 'Sorry hoor, schat.' Hij legt zijn hand op haar arm. 'Wel heel toevallig. Op het moment suprême was de geest weg. Hij heeft jullie dus niks kunnen vertellen.'

'Jawel,' zegt Eva geïrriteerd. 'Hij wist hoe ze heette. En dat raam dus. En o ja, het schilderij met de eenhoorn, daar had hij het ook over.'

'Niks wat jullie nog niet wisten dus. Dat is het bewijs. Die gast kan gedachten voelen van een ander. Wat jullie niet weten, weet hij ook niet. De linkmiegel.'

'Bart, hou op,' zegt Eva. 'Als jij het niet wilt geloven, prima, maar maak het niet kapot. Het was hartstikke ontroerend. Het raakte me heel diep dat Luna er was. Maar dat snap je toch niet, dus hou erover op. Wij weten nu dat er meer aan de hand is. Klaar, ander gesprek.' Ze zet de cd-speler aan.

'Mag ik nog één ding zeggen?' vraagt Bart. 'Eén ding en dan hou ik erover op.' Hij zet de muziek zachter.

'Eén ding dan.'

'Ik vind het triest dat Nathalie voor die verlakkerij haar reis annuleert. Diep triest.'

'Klaar!' zegt Eva en ze zet de muziek harder. 'Jezus, wat een klotemuziek heb jij toch!' Ze zet de radio aan. Ze heeft geen zin om hier weer ruzie over te hebben, zeker niet waar Nathalie bij is. Ze hadden een prachtige avond. Bart mag denken wat hij wil, maar zij hoeft het niet meer te horen.

'Eef,' begint Nathalie na een tijdje. 'Nu ik erover nadenk, zit er wel wat in wat Bart zegt. Eigenlijk heeft Derek Ogilvie ons niks nieuws verteld. Alleen dingen die we al wisten. We zijn als het ware betoverd, door de sfeer, door alles. En ook door al die mensen die erin geloven. Misschien is het ook onzin.'

Eva wordt giftig. Had ze maar nooit gevraagd of Bart hen kwam halen. Ze had nog liever de hele nacht in Gouda op straat gezeten dan dit. 'Wat een gelul op die radio.' Ze zet hem uit.

Bart draait zich om naar Nathalie. 'Ik vind het echt stom als je niet gaat.'

'Kijk op de weg, gek! In die mist!' schreeuwt Eva.

'Sorry, Eef,' zegt Nathalie. 'Ik vind het wel fijn dat we er met Bart over praten. Ik ben weer ontnuchterd. Ik moet mijn leven ook leven. Ik kan niet alles stopzetten omdat Derek Ogilvie beweert dat er meer aan de hand was bij het raam. We zeggen die afspraak af. Hij heeft ons verder niks kunnen vertellen, wees eerlijk. Het leven gaat door, ook voor ons. Ik vlieg morgen naar L.A.'

13

Eva zit in de trein terug naar Utrecht. Ze heeft Nathalie uitgezwaaid op Schiphol. Fleur moest naar Amsterdam. De laatste tijd is ze wel vaker naar Amsterdam. Eva heeft het gevoel dat Fleur ook niet goed om kan gaan met de dood van Luna. Alleen al het feit dat ze zo plotseling heeft besloten naar Afrika te gaan. Voor Luna's dood hoorde ze haar nooit over een stageplek buiten Europa. Ze voelt zich toch een beetje in de steek gelaten, vooral door Nathalie. Ze moest zich echt ergens overheen zetten om haar uit te zwaaien. Ze had beloofd bij de afspraak met Derek Ogilvie te zijn en nu kan zij er alleen voor opdraaien. Ze weet niet of ze dat wel wil, maar wat moet ze dan? Eigenlijk heeft ze geen keus. Volgens Derek was er meer aan de hand bij het raam. Ze moet weten wat er is gebeurd. Ze kent zichzelf, het laat haar toch niet los voordat ze het weet. Ze kan natuurlijk vragen of Fleur erbij wil zijn, maar Fleur heeft duidelijk laten merken dat ze er totaal niet in gelooft. Wat heeft het dan voor zin? Ze kan Derek ook afzeggen.

In Utrecht stapt ze uit. Gelukkig staat haar fiets bij het station, ze heeft er een hekel aan om door Hoog Catharijne te lopen. Overdag gaat het wel, maar als alle winkels dicht zijn voelt het een beetje unheimisch. Het is halfacht, ze heeft op Schiphol al iets gegeten, maar ze heeft geen zin om naar huis te gaan. Helemaal niet nu Nathalie en Fleur er alle twee niet zijn. Sinds dat bezoek van Remco voelt ze zich veel minder veilig. Ze heeft gelukkig niets meer van hem gehoord. Ze rijdt naar de Dominee, misschien is Arthur er wel. Ze heeft behoefte aan een luisterend oor. Als ze aan komt rijden, kijkt ze of zijn fiets er staat, maar ze ziet hem niet. Even is ze teleurgesteld, maar ze gaat toch naar binnen. Er is altijd wel iemand die ze kent. Ze neemt zich voor niet te veel te drinken. Vannacht was ze laat thuis en na al die emoties kon ze niet slapen.

Binnen ziet ze een jongen van haar jaar. Koen, niet echt een interessant type, maar het is tenminste iemand om tegenaan te kletsen. Hij staat bij de bar en ze loopt naar hem toe. Ze wil net een biertje bestellen als de deur opengaat. Arthur! Ze voelt dat ze rood wordt.

'Hi.' Hij geeft haar een kus.

'Ik heb net mijn vriendin uitgezwaaid, ze zit in het vliegtuig naar haar lover in L.A.'

'Klinkt romantisch, iets drinken?'

'Doe maar een witbiertje.' Als ze nu een whisky neemt, staat ze meteen op haar kop.

'Ik heb gisteravond wel aan je gedacht,' zegt Arthur.

'Sorry, ik had je al lang moeten bellen, maar...'

'Je hoeft je niet te verontschuldigen, hoe was het? Of hou je het liever voor jezelf?'

'Het was heel bijzonder. Zullen we eerst ergens gaan zitten?'

Ze heeft er geen zin in dat iedereen hoort wat ze te vertellen heeft. Arthur loopt naar een tafeltje bij het raam.

'Hij voelde Luna,' zegt Eva als ze zitten. 'Hij kreeg door dat Luna heel veel van me hield.' Ze heeft een brok in haar keel. Arthur pakt haar hand. 'Wat mooi voor je, maar ook moeilijk, lijkt me.'

Eva kan even geen woord meer uitbrengen. Gelukkig vraagt Arthur niet verder. Hij zit heel rustig tegenover haar, en hij tikt haar glas aan. 'Op Luna.'

'Lief,' zegt Eva. 'Geloof jij dat Derek Luna echt kan voelen?'

Arthur zucht. 'Moeilijk, hoor. Ik geloof wel dat er meer is. En ik heb weleens gekeken naar zijn show en het raakte me zeer.'

'Hij begon over het raam, het raam waar Luna uit is gevallen. Hij voelde dat er meer was en hij heeft een afspraak gemaakt.'

'Super toch,' zegt Arthur. 'Wie weet wat eruit komt.'

'Ik vraag me alleen af of ik het wel door moet laten gaan. Nathalie zou erbij zijn en die is nu op weg naar L.A. Ik zie het niet zitten om het in mijn eentje te doen.'

'En als ik erbij ben? Zou je dat fijn vinden?'

'Jeetje, Arthur!' Eva zucht. Ze is blij en niet blij. 'Het maakt het wel gecompliceerd,' zegt ze.

'Hoezo?' Arthur kijkt haar aan. 'Ik ga mee als vriend.'

'Ja, dat kun je nou wel zeggen.' Eva neemt een slok van haar bier. 'Maar zo voelt het niet. Je snapt wel wat ik bedoel.'

'Omdat het zo goed klikt tussen ons?'

Ze knikt. Waarom zegt ze dit allemaal? Wat moet Arthur ermee? Hij wil alleen mee, meer niet. Ze kijkt naar hem.

Het voelt zo fijn, ze heeft zich in geen tijden zo goed bij iemand gevoeld. Even raakt ze in de war. Er klopt iets niet. Bart is haar vriend, maar ze voelt zich fijner bij Arthur. Zij en Arthur zijn soulmates. Tussen Bart en haar begon het heel anders. Ze vond hem er meteen als een stuk uitzien. Hij was kunstenaar, dat erotiseerde heel erg. En hij is ook niet zo doorsnee, geen gewoon studentje. Bart is ambitieus, dat vond ze bijzonder, maar is dat allemaal wel genoeg? Ze zijn zo verschillend. In deze periode, nu ze zo verdrietig is, heeft ze niets aan hem. Dat kan toch ook niet?

'Wil jij iets eten?' vraagt Arthur. 'Ik ga loempiaatjes bestellen.'

'Lekker.' Ze lacht naar hem. Ineens weet ze het, bij Arthur voelt ze zich veel meer op haar gemak. Net als bij Luna. Dat heeft ze niet bij Bart. Ze moeten altijd overal over in discussie gaan, niets gaat vanzelf, daar wordt ze zo moe van. De seks was goed, al vanaf het begin, maar daar is het nu ook al in geen tijden meer van gekomen. Ze kijkt naar Arthur, die bij de bar met iemand praat. Zijn uitstraling is heel anders dan die van Bart. Veel rustiger, meer zichzelf. Bart moet zich altijd bewijzen.

Arthur komt terug met twee biertjes. 'Je hebt nog geen antwoord gegeven op mijn vraag.'

'O, of ik wil dat jij erbij bent? Ja, hartstikke lief, graag dus.'

Haar mobiel gaat, het is Bart. Ze neemt op.

'Hi, darling, ik heb goed nieuws. Ik hoor net van een gast die iemand uit de jury kent dat ik bij de laatste honderd zit. Ik kom in het fotoboek, Eef.'

'Super voor je!' Eva hoort hoe blij Bart is.

'Zit je nog op Schiphol?'

'Nee, ik zit in de Dominee.'

'O gezellig, neem een biertje van me, hè? Ik ga ook nog even uit, met Niels. We bellen morgen nog. Kus.'

'Kus.' Ze heeft niet verteld dat ze hier met Arthur zit. Ze voelt zelf ook wel dat het niet helemaal zuiver is.

'Ik vind jou gewoon een prachtvrouw,' zegt Arthur als ze heeft opgehangen. 'En dat zul je altijd voor me blijven.'

Eva krijgt een warm gevoel in haar onderbuik, het trekt door haar hele lichaam. Precies hierom heb ik het Bart niet verteld, denkt ze.

Arthur staat op en komt naast haar zitten. 'Ik vind het zo moeilijk dat je er de laatste tijd zo verdrietig uitziet.' Hij streelt met zijn vinger over haar wang. 'Ik zou je zo graag troosten, je bent altijd zo'n stralende meid, Eef. Maar nu zie je er zo ongelukkig uit, zo eenzaam.'

Eva knikt. Ze weet het en ze weet ook dat het niet alleen maar komt door het verdriet om Luna. Nu ze aan haar gevoelens toegeeft, kan ze bijna niet meer terug. Ze verlangt naar Arthur, naar zijn lieve blik. Er is geen strijd tussen hen. Ze heeft het gevoel dat ze al heel lang alleen is. Ze heeft nooit één moment met Bart haar verdriet kunnen delen. Ook niet met Nathalie en Fleur. Voor het eerst na Luna's dood voelt ze warmte, verwantschap, begrip.

'Ik zou je er zo graag bij helpen,' zegt Arthur. Er klinkt zo'n zachtheid in zijn stem door. 'Ik zou alles over Luna willen weten, samen met jou plekken bezoeken waar je mooie herinneringen aan hebt. Het kost tijd, Eef. Een rouwproces kost tijd, je mag het niet wegdrukken, je moet het verzorgen, net als een ziek plantje.' Hij kijkt haar aan.

Wat ben je lief, denkt ze, wat ben je vreselijk lief. Ze slaat een arm om zijn hals en drukt haar lippen op zijn mond. Ze voelt zijn mond opengaan, zijn tong, die zachtjes de hare streelt. Ze kruipt bijna in hem. Dit heb ik zo gemist, denkt ze. Ze kijkt hem aan, zijn ogen zijn zo zacht en liefdevol. Er is geen weg terug, denkt ze, en ze kust hem weer.

Eva snapt niet wat er ineens met haar is gebeurd. Ze zit op de bank in Arthurs kamer, midden in de nacht. Ze is met hem mee naar huis gegaan, terwijl Arthur er niet eens op aandrong. Het voelde zo vanzelfsprekend. Ze dacht dat ze zoiets alleen zou doen als ze dronken was, maar ze is hartstikke nuchter. Ze heeft maar een paar biertjes op.

Ze fietsten samen naar zijn kamer. Telkens bleven ze staan en dan zoenden ze weer. Ze was niet eens bang dat Bart toevallig langs zou komen. Arthur woont in een supergrote ruimte in het oude gebouw van het *Utrechts Nieuwsblad*. Ze wonen hier met een aantal studenten, antikraak. Ze hebben het gebouw met felle kleuren beschilderd en er zijn veel open ruimtes waardoor je elkaar kunt zien.

Arthurs kamer ziet er ook heel apart uit, met zelfgetimmerde meubels. Hij staat bij het aanrecht en zet YogiTea. Zo schattig. Eva denkt onwillekeurig aan de eerste keer dat ze met Bart meeging na zijn expositie op zijn school. Ze waren nog maar net bij hem thuis of ze doken al praktisch het bed in. Met Arthur is het zo anders, zoveel rustiger. Hij zet een glas thee voor haar neer en gaat naast haar zitten.

'Ben je hier nou echt?' Hij kijkt haar stralend aan en gaat

met zijn hand door haar haar. 'Het lijkt net een droom, Eef.' Hij drukt een zachte kus op haar mond als er op de deur wordt geklopt.

'Arthur, ben je nog op?'

'Shit!' Arthur springt op om de deur op slot te doen, maar hij gaat al open.

'Eva!'

'Paula...'

Ze kijken elkaar aan.

'Eh, leuk dat je er bent.' Paula is duidelijk van haar stuk gebracht. Ze zit bij Bart in het jaar en had haar hier natuurlijk nooit op dit tijdstip verwacht.

Eva had een smoes kunnen verzinnen, zeggen dat ze samen aan een project voor school werken. Ze had van alles kunnen zeggen, maar ze doet het niet. Ze voelt dat ze niet eens rood wordt.

'Ik eh...' Paula weet even niet meer waar ze voor kwam. 'Heb jij nog wijn in huis?'

'Ja, je hebt geluk.' Arthur haalt een fles wijn uit de kast.

'Nou eh... nog veel plezier dan maar,' zegt Paula grinnikend als ze weggaat.

'Stom van me.' Arthur doet de deur meteen achter haar op slot. 'Ik heb je toch niet in problemen gebracht?'

Eva haalt haar schouders op. 'Die problemen waren er toch al.'

Arthur kust haar. Het is zo anders dan met Bart. Ze voelt wel passie, maar ook tederheid en liefde. Hij streelt haar gezicht en dan gaan zijn handen langzaam omlaag naar haar borsten. Bij Bart had haar T-shirt allang op de grond gelegen, maar Arthur streelt haar heel teder, en dan kust hij haar weer. Voorzichtig trekt hij haar kleren uit, een voor een, met lange tussenpozen, waarin hij alles wat bloot komt kust. Dit kent ze helemaal niet. Als ze naakt op de bank ligt, tilt hij haar op en legt haar voorzichtig op zijn bed. Hij kleedt zich uit en houdt alleen zijn onderbroek aan. Hij gaat naast haar liggen en terwijl hij haar streelt, kijkt hij naar haar, met die lieve warme blik. Ineens realiseert ze zich dat ze bij een ander in bed ligt, naakt, maar ze voelt zich zo veilig en ze zucht van genot als hij haar benen streelt en met zijn vingers zachtjes haar schaamlippen masseert. Hij staat op en trekt zijn onderbroek uit en dan ziet ze voor het eerst zijn stijve pik. Hij is kleiner dan die van Bart. Arthur komt naast haar liggen. Ze raakt zo opgewonden. Het gaat allemaal heel organisch. Hij doet een condoom om en ze kan niet wachten tot hij bij haar naar binnen glijdt.

'Nu!' kreunt ze.

Terwijl hij in haar op en neer beweegt, kussen ze. Ze voelt een siddering door haar lichaam gaan. Ze gaat klaarkomen, ze kan het niet langer tegenhouden. Daarna komt hij ook klaar.

'Het is net een droom,' fluistert hij weer en hij legt zijn hoofd op haar borsten. Ze strijkt door zijn haar. Zijn adem wordt steeds rustiger en ineens valt hij in slaap. Hij draait zich op zijn rug en ze kijkt naar hem. Het was zo fijn! Met Bart had ze echt wel goeie seks, maar het was zo anders, veel heftiger. Nu snapt ze wat ze erin miste, het samenzijn. Voor het eerst voelt ze dat ze samen met iemand heeft gevreeën. Ze gingen helemaal in elkaar op. Ze wist niet dat dit bestond, dat ze de liefde kon voelen stromen.

Het wordt haar ineens duidelijk. Het gaat om het gevoel van samenzijn, niet alleen op het gebied van seks, maar ook op andere gebieden. Hoe kan het dat je op zo'n totaal andere manier met elkaar om kunt gaan? Daarom had ze Luna altijd bij haar relatie met Bart nodig. Natuurlijk wil ze naast haar relatie ook een eigen leven met haar vriendinnen. En ze hield van Luna, maar ze ziet nu in dat hun vriendschap ook een must was. De meeste emotionele dingen moest ze met Luna bespreken, zoals toen haar moeder een jaar geleden opeens een knobbeltje in haar borst had bijvoorbeeld. Eva was toen heel bezorgd. Bart probeerde haar alleen maar gerust te stellen. Ze moest zich niet zo bezorgd maken, misschien viel het mee. Het was wel lief van hem, maar ze had er niks aan. Luna gaf ruimte aan haar angst. Ze ging het niet proberen weg te praten. Gelukkig bleek het een cyste te zijn. Eva was zo opgelucht. Luna en zij hebben heel vaak samen gehuild om elkaars verdriet. Dat wil ze met een vriendje ook. Maar dat kan niet met Bart, die bedenkt altijd oplossingen als ze ergens mee zit. Maar dat vraagt ze helemaal niet van hem, ze wil begrepen worden. Arthur begrijpt haar. Dat is wat ze al die tijd heeft gemist en ze voelt dat ze dat ook heel hard nodig heeft. Nu Luna er niet meer is, heeft ze niet meer genoeg aan Bart. Ze kwijnt weg van eenzaamheid. Als ze bij hem blijft, wordt ze zo'n ontevreden mens dat altijd klaagt over haar man. Ze kijkt naar Arthur, die zich in zijn slaap naar haar omdraait en zijn arm om haar heen doet. Ze voelt hoe erg ze hiernaar heeft verlangd. Dit laat ze niet meer gaan.

's Morgens wordt ze wakker van een kus. Ze ziet Arthur over haar heen gebogen staan.

'Goedemorgen, ik heb koffie,' zegt hij.

Shit! Ze realiseert zich dat ze is blijven slapen. Ze heeft met Arthur gevreeën.

Hij gaat op de rand van het bed zitten en kust haar. 'Ik hoop niet dat je spijt hebt.'

'Nee.' Ze pakt zijn hand. 'Het was fijn, je bent lief.'

Als ze uit bed stapt, ziet ze twee bekers en een koffiepot tussen de rommel op tafel staan. Ze kijkt rond. Overal ziet ze troep liggen. Ze moet erom lachen.

'Eerst koffie? Of wil je liever eerst onder de douche?' vraagt Arthur.

'Nee, koffie, lekker.'

'Ja, eh sorry, ik heb verder niks in huis.' Hij zoekt in een kast. 'Nog een paar crackers, maar volgens mij zijn die al veel te oud. Ik ga zo wel iets bij de buren scoren.'

Eva trekt haar T-shirt en slipje aan en gaat aan tafel zitten.

'Heb je wel een beetje kunnen slapen?' Hij schenkt koffie voor haar in.

'Een beetje laat,' zegt ze gapend. Haar mobiel gaat. Het is Bart, ze drukt hem weg.

Als Arthur weg is om iets eetbaars te halen, luistert ze haar voicemail af.

'Morning, darling. Harry, een gast die ook bij de laatste honderd zit, heeft een paar vrienden uitgenodigd op de peperdure boot van zijn pa. We gaan er straks al heen en dan ben ik overmorgen weer terug.'

Eva belt hem meteen terug. 'Hi, ik hoor net je berichtje.

Wacht op me, nog niet weggaan, ik kom nu naar je toe.'
Zonder op antwoord te wachten staat ze op en springt
onder de douche.

'Niemand heeft iets in huis,' zegt Arthur als Eva onder
de douche uit komt.

'Dat geeft niets,' zegt ze. 'Ik heb een afspraak.' Ze trekt
haar kleren aan, kust hem op zijn mond en weg is ze.

Eva fietst door de stad. Het is best een eind naar Bart. Hij
woont in een studentenhuis aan de rand van de stad. Ze is
niet van plan als een gek te racen, hij wacht maar even. Ze
heeft wel een raar gevoel, na anderhalf jaar gaat ze het uitmaken. Hij heeft vast geen enkel vermoeden wat ze komt
doen. Is het geen bevlieging? Weet ze zeker dat ze voor
Arthur kiest? Ze is verliefd op hem, dat is wel duidelijk,
maar dat gevoel kan ook weer overgaan. Het kan ook
komen omdat ze in de war is. Misschien maakt ze het niet
meteen uit, maar ze wil wel dat hij weet dat ze met Arthur
naar bed is geweest. Dan begrijpt hij tenminste ook dat ze
heel ongelukkig is. Toen het nog goed ging tussen hen vond
ze Arthur ook aantrekkelijk, maar hij kreeg geen kans. Ze
denkt aan Luna. Wat zou Luna hebben gezegd? Ineens mist
ze haar maatje weer heel erg. Luna zou Arthur ook aardig
hebben gevonden. Het is echt iemand bij wie je je meteen
op je gemak voelt. Iedereen mag hem ook graag. Luna
moest in het begin erg wennen aan Bart. Ze was heel verbaasd dat Eva op hem viel. Ze vond dat hij altijd met zichzelf bezig was, een echte egotripper, maar later was ze aan
hem gewend geraakt en zag ze ook zijn positieve kanten.
Luna zou zeggen dat ze haar gevoel moest volgen. Ze zou

haar groot gelijk hebben gegeven dat ze met Arthur is meegegaan. Maar dat ze het daardoor meteen uitmaakt, zou ze onzin vinden. 'Kijk het nog even aan,' zou ze waarschijnlijk hebben gezegd, 'je hoeft het toch niet te vertellen?' Maar dat is niks voor Eva. Ze gooit het er zo uit, dat weet ze zeker. Luna nam het nooit zo nauw. Wat niet weet, wat niet deert, zo was ze een beetje. Eva denkt aan de brieven. Luna heeft haar er nooit iets over verteld. Het blijft een raadsel waarom ze het niet mocht weten. Ze heeft nog steeds geen idee wie de persoon uit die brieven is. Maar hij moet wel een goeie relatie met Luna hebben gehad, anders vertrouw je haar toch niet al die intimiteiten toe? Eva merkt dat het haar elke keer weer steekt als ze eraan denkt. Het blijft zo moeilijk te verdragen dat Luna haar erbuiten heeft gehouden.

Haar mobiel gaat, dat is vast Bart die ongeduldig wordt. Ze heeft geen zin om het hem over de telefoon te zeggen, en terwijl ze de hoek om rijdt sms't ze dat ze er bijna is. Hij moet maar even geduld hebben, zij moet zo vaak op hem wachten. En hij hoeft niet net te doen alsof hij een belangrijke werkafspraak heeft, ze gaan gewoon lekker varen.

Een paar minuten later rijdt ze Barts buurt in. Elke keer verbaast ze zich er weer over hoe hij het hier uithoudt. Alleen maar nieuwbouw, en vlak bij zijn flat is de grote weg. Je hoort dag en nacht de auto's razen. Geef haar dan maar een paar dronken studenten die 's nachts over de Oudegracht lopen te lallen. Een tijdje geleden belde Bart heel enthousiast op, onder hem kwam een dubbele flat leeg. 'Als je maar niet denkt dat ik daar ga wonen,' zei ze meteen. Ze zit duizend keer liever op haar kamer in het centrum. Dan maar altijd een keuken vol troep en een doucheputje vol haren. Stel je voor dat ze nu had samengewoond, dan had ze zich helemaal eenzaam gevoeld.

Ze rijdt de straat in en zet haar fiets voor de flat op slot. Bart is er nog, zijn bestelauto staat voor de deur. Of ze moeten met Harry's auto zijn. Ze loopt het gebouw in en drukt op het knopje van de lift. Schiet op, denkt ze als de lift tergend langzaam omlaaggaat. Dat ding is altijd zo traag. Soms, als ze geen geduld heeft, neemt ze de trap, maar ze is nu te moe om naar de achtste verdieping te klimmen. Eindelijk stopt de lift. De deur gaat open, er stapt niemand uit. Het is nog vroeg, de meeste studenten slapen nog. Ze gaat naar binnen en drukt het knopje van de achtste verdieping in. Vlak voordat de deur dichtschuift, schiet er iemand naar binnen. Remco! Ze wil uitstappen, maar de deur gaat al dicht. Hij heeft haar gevolgd. Hij moet haar ergens hebben zien rijden en hebben gemerkt dat ze naar Bart ging. Sinds hij haar op haar kamer lastig-viel, is ze heel alert geweest, maar vandaag heeft ze niet op-gelet. Ze kijkt hem angstig aan en ziet zijn agressieve blik. Hij gaat haar vermoorden. Waar kan dat beter dan in een lift? Ze trilt over haar hele lichaam.

'Nu kun je niet wegrennen,' zegt hij vals. 'Eens even kij-ken, je moet naar de achtste verdieping. O, dan hebben we ruimschoots de tijd.'

Mijn god, wat is ze stom geweest. Was ze nou maar naar de politie gegaan, dan was hij misschien opgepakt. Ze wil gillen, maar ze weet dat het geen zin heeft. Niemand die haar hoort.

'Ik weet alles,' sist hij. Zijn mondhoeken trillen van op-gekropte woede.

Eva doet van angst een stap naar achteren. Zou hij weten dat Luna verliefd was op Fleur?

'Ze heeft het me zelf verteld,' zegt hij.

Jezus, Luna. Eva wankelt even. Hij kon het niet aan en toen heeft hij je vermoord, denkt ze. Niet omdat je het had uitgemaakt, maar omdat je lesbisch was.

'Ik was buiten zinnen,' zegt hij. 'Ik wist niet meer wat ik deed.'

Eva kijkt omhoog. Ze zijn bijna bij de tweede etage. Alsjeblieft, laat er iemand instappen. Ze houdt haar adem in, maar de lift gaat erlangs.

'Remco, ik... ik sta hier buiten,' stamelt ze.

Hij doet een stap naar voren en gaat vlak voor haar staan. 'Teringwijf! Je staat er helemaal niet buiten. Jij bent net zo slecht als die vriendin van je. Jullie hebben me erin geluisd.'

'Geloof me.' Ze smeekt het bijna. 'Ik sta hier helemaal buiten. Ik zweer het je.'

'Leugenaar, Luna zei dat jij ervan wist.'

Zijn ogen, ze staan zo eng! Eva doet het zowat in haar broek van angst. Waarom gaat die fucking lift zo langzaam? Het lijkt wel of dat ding kruipt.

'Niemand belazert mij, weet je dat?' Hij lacht er eng bij.

'Je bent gek,' zegt Eva. 'Je bent een gestoorde gek.'

'Dat dacht Luna dus ook. Jullie zijn precies hetzelfde.'

Hij kijkt schuin omhoog. Waarom doet hij dat? Vraagt hij zich af hoe lang hij nog heeft? Zal hij me wurgen? Hoe wil hij het doen?

'We hebben nog tijd,' zegt hij tergend kalm. 'Ik heb alle tijd om jou precies te vertellen wat er met Luna en mij op die bewuste dag is gebeurd. Ik wil dat je het weet, ik wil dat je weet wat er toen is gebeurd.'

'Alsjeblieft, ik wil het niet horen,' zegt Eva met trillende stem. 'Ik wil niet weten wat er met mijn lieve vriendin is gebeurd.'

'Je zult het weten, of je het wilt of niet.' Hij voelt in zijn zak. Een mes! is Eva's eerste gedachte. Hij heeft een mes in zijn zak! Ze geeft een gil, net op dat moment stopt de lift. Een man stapt naar binnen. Rennen! denkt Eva en ze schiet langs de man heen de gang door. Wegwezen! Ze kijkt paniekerig naar de trap, maar ze gaat niet naar boven. Stel je voor dat ze gelijk met de lift aankomt. Ze schiet de trap af naar beneden. Eenmaal op de begane grond holt ze de flat uit, pakt haar fiets, haalt hem van het slot en racet weg. Haar hart bonkt in haar keel. Ze is ontsnapt, voor de tweede keer is ze aan die engerd ontsnapt. Ze kijkt achter zich, maar ze ziet hem niet. Ze gaat niet door het park, dan moet ze onder het viaduct door. Ze rijdt rechtdoor, tot ze bij een winkelplein komt. Hier ben ik veilig, denkt ze als ze tussen de mensen staat. Bart moet maar hiernaartoe komen. Met trillende vingers drukt ze zijn nummer in.

'Waar blijf je?' zegt Bart geïrriteerd. 'Ze staan hier allemaal te wachten, we moeten weg.'

'B-Bart...' stamelt ze. 'Bart, die engerd stond in de lift. Hij wilde me vermoorden.'

'Welke engerd?'

'Remco natuurlijk.'

'Jezus, Eef, denk je nou nog steeds dat hij achter je aan zit? Wanneer houdt dat nou eens eindelijk op?'

'Jij bent helemaal gestoord! Net zo gestoord als die gek!'

schreeuwt Eva. Haar stem schalmt over het plein heen. Mensen kijken op en blijven staan. 'Jij kunt niet normaal reageren, hè? Dat kun je gewoon niet. Idioot die je bent. Mijn gevoelens interesseren je niet. Sinds Luna dood is, heb ik helemaal niks aan je. Echt helemaal niks.'

Er blijven steeds meer mensen staan.

'Eef, je zit erdoorheen. Ga naar de dokter, ik meen het. Ga hulp zoeken.'

'Daar hoef ik niet voor naar de dokter. Weet je waar ik last van heb? Van een mega-eikel van een vriend. En weet je wat de dokter dan zegt? Ik zou het maar eens uitmaken met die lul!'

'Eef, wat zeg je allemaal?'

'Ben ik niet duidelijk? Het is uit! Uit! Uit!' krijst Eva. 'Onze verkering is uit.' Er staat een kring van mensen om haar heen, maar ze let er niet op. Ze drukt de telefoon uit en begint te huilen. 'Lul!' zegt ze hardop. 'Lul, dat ik nog heb getwijfeld.' Ze stapt op haar fiets, baant zich een weg door de kring mensen die haar aangapen en rijdt weg.

Eva is razend als ze thuiskomt. Anderhalf jaar heeft ze verkering met Bart en hij neemt haar niet serieus. Hij moet en zal zo nodig naar zijn uitje. Die engerd van een Remco had haar bijna te pakken en Bart kan alleen maar zeggen dat ze naar de dokter moet gaan. Op die manier heeft hij het haar wel heel gemakkelijk gemaakt met zijn arrogante gedrag. Als hij lief voor haar was geweest, had ze er misschien spijt van gehad dat ze met Arthur heeft gevreeën, maar nu interesseert het haar geen bal. Ze staat er helemaal achter dat het uit is. Ze voelt zich helemaal uitgeput, niet alleen psychisch, maar ook lichamelijk. Ze is kotsmisselijk. Nu ze veilig op haar kamer is, voelt ze ineens hoe bang ze was in de lift. Heeft ze de deur wel op slot gedaan? Ze staat op en checkt de deur. Ja, die is op slot. Ze loopt naar het raam en kijkt of ze Remco ergens ziet als er een bericht op haar laptop binnenkomt. Nathalie wil skypen. Ze zet haar camera aan; nu kan ze het tenminste aan iemand kwijt.

'Hi!' Ze wil vertellen wat er is gebeurd, maar Nathalie begint meteen te ratelen.

'Ik ben zo blij dat ik ben gegaan, Eef! Jim stond met een grote bos rozen op het vliegveld op me te wachten. Ik was nog een beetje bang voor zijn vrienden, maar ze zijn heel aardig. Je hebt geen idee hoe luxe het hier is. Er is een zwembad in het appartement, en een fitnessruimte. Volgens mij heb ik vanochtend Beyoncé gezien, maar ik weet het niet zeker. Hoe is het in good old Utrecht?'

Eva wil vertellen dat ze het heeft uitgemaakt met Bart, maar Nathalie wacht niet eens op antwoord.

'Eef, ik sta hier in een heel grote ruimte, kun je het zien? Geen meubels en zo. Zowat leeg. Kijk mee, ik hou de camera schuin. Een, twee, drie, vier, vijf, zes, zeven gitaren. Zie je ze? En dan heeft hij er nog drie mee naar zijn gig. Hij wou dat ik meeging, maar ik heb een vette jetlag. Ik ga een uur in het zwembad liggen. O Eef, we hebben zo'n romantische nacht gehad. We lagen in een kingsize bed. Echt mega, zoiets heb je bij ons niet eens. Alles is hier tien keer ruimer. L.A. is vet. Die wegen, Eef. Breed! En er rijden alleen maar grote auto's. Jim heeft zo'n pick-up. Wel wennen, hoor. Je zit heel hoog. En verder rijden hier allemaal geblindeerde limousines langs. Ik voel me zo toppie.'

'Ik ben niet zo toppie,' zegt Eva, die weer een poging doet om ertussen te komen. 'Ik heb vanochtend...'

'Eef, logisch dat je je niet toppie voelt, je moet er ook uit. Ik merk aan mezelf hoe ik ervan opknap. Het doet me goed om weg te zijn. Even helemaal iets anders aan mijn hoofd. Nu voel ik pas wat een impact de dood van Luna op me heeft gehad. Jij moet er ook uit. Het idee dat ik bijna niet was gegaan door die Derek Ogilvie. Ik ben Bart zo dankbaar.'

'Hou op over Bart! Ik heb hem net nog gezegd...'

'Eef, je moet je niet op Bart afreageren, want dat doe je. Kon je maar hierheen komen. Het is hier echt cool. De boys zijn super. Het is dat jij Bart hebt, maar Jim heeft een paar heel knappe vrienden. En ze zijn allemaal nog single. Jim zei het van tevoren: ik ben niet zo knap als Roger, maar wel veel leuker. Zo goed, welke vent durft dat te zeggen? O ja, weet je wat ook nog heel opvallend is? Je weet wat een smeerboel het bij ons altijd is. Alleen de keuken al! Hier wonen alleen maar boys en netjes dat het er is! Ik ben er pas een dag, maar het lijkt veel langer, zo thuis voel ik me hier. Maar dat komt ook door Jim. Hij neemt onze relatie heel serieus. Hij heeft heel sneaky een brochure van de fotoacademie in L.A. neergelegd.'

'Pas op, Nat,' waarschuwt Eva. 'Laat je er niet te veel in meeslepen. Over een paar weken zit jij weer in je oude klas in Utrecht en dan heb je liefdesverdriet. Het was voor de fun, weet je nog?'

'Shit!' roept Nathalie. 'Mijn mobiel. Even pakken. Die schat heeft hier een mobiel voor me gekocht, anders is het bellen veel te kostbaar. Sorry, Eef, ik bel later nog. Kus, hè? Geef Fleur ook een knuffel van me.' En weg is ze.

Eva zakt in haar stoel neer. Niet mee te praten, denkt ze. Ze schrikt op van voetstappen op de trap. Even verstijft ze, maar dan hoort ze dat ze doorgaan naar boven. Ik ben gewoon hartstikke bang, denkt ze en ze loopt weer naar het raam. Ze kijkt naar buiten als er op de deur wordt geklopt. Haar hart staat een tel stil. Ze staat al met haar mobiel in haar handen, als ze Fleur hoort roepen.

Eva doet de deur open.

'Ben je bang dat je wordt gekidnapt?' zegt Fleur lachend. 'Ik word net gebeld dat ik door ben. Ik krijg een tweede gesprek!'

'Super!' zegt Eva. 'Zo fijn voor je. Koffie?'

'Nee, ik moet zo weer weg. Ik wou het alleen even zeggen. Ik moet over drie dagen komen en na dat gesprek hoor ik het meteen.' Ze kijkt bezorgd naar Eva. 'Wat zie je eruit, joh. Wat is er gebeurd?'

Eva gaat op haar bed zitten. 'Ik zat met Remco in de lift. Die engerd is me gevolgd. Ik kon nog net ontsnappen, het was zo eng!'

'Eef, niet doen!' Fleur komt naast haar zitten en pakt haar hand. 'Laat het los.'

'Hoezo, loslaten? Ik was er bijna niet meer geweest.'

'Eef, Remco heeft niets met Luna's dood te maken. En hij wil jou niet vermoorden.'

'Je lijkt Bart wel,' zegt Eva geïrriteerd. 'Hij zei dat ik naar de dokter moest, en weet je waarom? Dan hoeft hij geen aandacht aan mij en mijn gevoelens te besteden, dan kan hij lekker met zijn vrienden gaan varen.'

'Is hij gegaan?'

'Ja, geen probleem, het is uit. Ik heb het helemaal met

hem gehad en dat heb ik gezegd. Of snap je dat soms ook niet?'

'Dat snap ik wel.' Fleur aait Eva over haar haar. Haar stem klinkt zachter. 'Hij had niet weg mogen gaan, niet nu jij zo in de war bent. Of het nou terecht is of niet, daar gaat het niet om.'

'Ik heb met Arthur gevreeën.'

'Fijn gehad?'

Eva knikt.

'Mooi zo. Het gaat nu om jou, Eef. Nathalie zit in L.A. Ik ga misschien naar Afrika, en jij moet ook weer in een betere flow komen. Ik moet nog wat werken, Eef. Sorry.' Fleur geeft Eva nog een aai over haar hoofd en vertrekt.

Eva wil Arthur bellen als er wordt aangebeld. Ze kijkt uit het raam. Bart staat voor de deur met een bos rode rozen. Ze doet de deur open en ziet hem de trap op komen. In haar hart heeft ze het hem al vergeven.

'Sorry, Eef, voor jou.' Hij geeft de rozen en wil haar vastpakken, maar Eva draait zich om en loopt haar kamer in. 'Ik dacht dat jij op de boot zat.'

'Nee, niet nu het zo'n ellende is tussen ons. Ik hou van je, Eef.' Hij pakt haar hand.

'Niet doen,' zegt Eva en ze gaat op de stoel zitten met de bloemen op schoot. 'Bart, het gaat niet tussen ons. We zijn zo verschillend. Ik heb aandacht nodig en die kun jij me niet geven.'

Hij gaat op de leuning van de stoel zitten. 'Eef, ik heb fouten gemaakt. Ik ga mijn leven beteren. Ik ga eraan werken, dat beloof ik je.' Hij kust haar in haar nek, maar Eva springt op.

'Bart, mijn besluit staat vast.'

'Jij kunt dus niet vergeven?' Hij staat op en trekt haar naar zich toe, maar ze duwt hem van zich af.

'Ik kan wel vergeven, maar ik word er niet leuker op. Ik eh... ik heb vannacht met Arthur gevreeën.'

'Je liegt!'

'Nee, het is zo. Ik voelde me eenzaam, dat bedoel ik nou, Bart. Ik wil helemaal niet vreemdgaan, dat is niks voor mij. Ik was wanhopig.'

'Met die sukkel van je opleiding? Die halve homo?'

'Nou moet je niet kwaad op Arthur worden. Ik heb je bedrogen.'

'Je hebt mij bedrogen met dat lulletje? En ik zeg verdomme mijn uitje af. En jij...?'

'Geef me maar een klap,' zegt Eva.

'Ik denk er niet over. Ik ga mezelf niet verlagen zoals jij. Wat een slet ben jij.' Hij rukt de bloemen uit haar handen en mept ermee op de tafel. 'Slet! Slet! Slet!' schreeuwt hij. De deur van de kamer gaat open. Fleur steekt haar hoofd om de deur. 'Gaat het wel goed hier?'

'Ik ben er helemaal klaar mee, weet je dat?!' roept Bart. 'Hou die vriendin van je maar met haar kop onder de koude kraan. Ze is gek geworden. Helemaal gek.' Dan stormt hij de kamer uit.

14

Eva slaat haar studieboek dicht. Eigenlijk had ze college, maar ze is thuisgebleven. Straks komt Derek Ogilvie. Ze had vanochtend nog wel naar college kunnen gaan, maar ze kon het niet opbrengen. Ze heeft geen zin meer in haar studie. Zuchtend zet ze haar beker met koffie neer. Haar hele leven staat op losse schroeven. Het is nu bijna een week uit met Bart. Ze vindt het niet makkelijk, tenslotte hadden ze wel anderhalf jaar een relatie. Maar ze heeft er geen spijt van. Ze passen niet bij elkaar, dat is wel duidelijk. Maar of ze nou met Arthur verder wil, weet ze ook niet. Ze vindt hem superlief en hij is ook nog eens een lekker ding, maar ze wil niet meteen weer vastzitten, dat benauwt haar. Ze wil niet van de ene in de andere relatie vallen. Gelukkig begrijpt Arthur haar wel. Toch is het moeilijk, want hij is zo verliefd op haar. Gisteravond belde hij. Hij vroeg niets, maar ze voelde dat hij hoopte dat hij mocht komen. Ze wilde het niet. Ze wilde even rust. Eerst maar het gesprek met Derek afwachten, dat is al spannend genoeg. En als er niets uitkomt, gaat ze misschien een weekje naar haar ouders. Lekker relaxen, niemand die iets van haar wil. Uren in bad liggen. Dat doet ze altijd als ze thuiskomt. Ze blijft net zo lang liggen tot het water koud wordt, en dan zet ze de warme kraan aan. Gezellig shoppen met haar moeder en ergens koffiedrinken. Heerlijk ongecompliceerd. Haar moeder belde toevallig net, maar ze heeft nog niks gezegd. Ze weet hoe haar moeder is, die verheugt zich erop als ze zegt dat ze komt en ze weet het nog niet zeker. Ze vraagt zich af hoe het met Nathalie gaat. Ze heeft haar nog wel gesproken om te vertellen dat het uit was met Bart. Dat was alweer een paar dagen geleden en toen was Nathalie nog laaiend enthousiast.

Eva kijkt op de klok. Het is bijna twaalf uur. Ze denkt dat Yvet nu wel op is. Yvet heeft een baantje in een hotel en komt meestal pas 's nachts thuis. Maar Eva moet nu toch echt vragen of Derek in haar kamer mag. Ze heeft er goed over nagedacht. Liegen is niet haar ding, maar in dit geval verzint ze toch een smoes. Yvet schrikt zich dood als ze hoort dat Luna daar is verongelukt. Eigenlijk had Eva het haar al veel eerder moeten vragen, maar ze heeft het steeds uitgesteld. Het doet haar nog zoveel pijn om iemand anders in Luna's kamer te zien.

Eva kijkt naar haar mobiel. Een sms'je van Bart. *Zullen we praten?*

Ook dat nog, denkt ze geïrriteerd. Laat me met rust. Alsof haar hoofd daar nu naar staat. Wat een timing. Als hij even had nagedacht kon hij weten dat ze vanmiddag de afspraak met Derek heeft. Ze wil haar mobiel wegleggen, maar aarzelt. Het is niet eerlijk van haar. Ze heeft Bart bedrogen, en hij was woest, wat ze wel kan begrijpen. Nu wil hij tenminste praten. Ze zou het zelf ook afschuwelijk vinden als hij altijd kwaad bleef. Als hij maar niet denkt dat het goed kan komen.

Vanavond, sms't ze terug.

Hij antwoordt meteen. *10 uur in de Vuurtoren? Prima!*

Ze gaat naar Yvets kamer. In de keuken ziet ze Fleur staan.

'Sterkte straks,' zegt Fleur.

'Weet je zeker dat je er niet bij wilt zijn?'

'Heel zeker,' zegt Fleur. 'Dit is echt niks voor mij, Eef.'

Eva loopt door naar Yvets kamer. Hoe vaak heeft ze hier niet voor de deur gestaan toen Luna nog leefde? Ze voelt meteen weer een steek in haar hart. Ze hoort muziek door de deur heen, dus Yvet is wakker. Eva haalt diep adem en klopt aan.

'Kom binnen.' Yvet houdt de deur uitnodigend open. 'Dan kun je meteen zien hoe ik het heb ingericht.'

Eva schrikt even, het is de eerste keer dat ze Yvets kamer ziet. Het is zo anders dan toen Luna er woonde, het doet heel Engels aan, door de countrystyle.

'Ben jij vanmiddag thuis?' Eva blijft expres voor de deur staan, ze wil zo gauw mogelijk weer weg.

'Nee,' zegt Yvet.

'Mogen wij dan even in jouw kamer? Iemand maakt een filmpje over Luna, die hier voor jou woonde. Het wordt wel op de tv uitgezonden.'

'Geen probleem. Ik heb net opgeruimd.' Yvet pakt een sleutel. 'Wel weer goed afsluiten, want ik ben hier morgen pas weer. Ik slaap bij mijn vriend.'

'Oké.' Eva stopt de sleutel in haar zak. 'Mooi kastje,' zegt ze nog gauw en dan gaat ze naar haar eigen kamer.

'Eva!' Yvet komt haar achterna. 'Deze brieven had ik je al eerder moeten geven, maar ik vergat het steeds.'

'Lagen ze ook onder de vloer?' vraagt Eva.

Yvet knikt.

Zie je wel, ze wist dat er nog meer moesten zijn. Wie weet komt ze er nou toch nog achter over wie het gaat. Ze gaat gauw naar haar kamer, ze heeft nog een uurtje voordat Derek komt. Misschien staat er iets in wat hij kan gebruiken. Ze begint meteen te lezen.

Lieve Luna,

Er was niets over van de vriendschap met Rutger. Erger nog, hij negeerde me en deed alsof er nooit iets tussen ons was geweest. Alsof juf Annabel en de klas nooit hadden bestaan. Had hij maar ruzie met me gemaakt, mij desnoods uitgescholden of een klap gegeven. Dat had ik liever gehad, dan betekende ik nog iets voor hem, maar hij zweeg alles dood wat we samen hadden beleefd, hij zweeg mij dood.

Mijn huisarrest was voorbij. Als we met ons groepje, waar Rutger nu ook bij hoorde, bij elkaar waren geweest, bleef ik expres even rondhangen, in de hoop dat Rutger zich bij de hoek zou omdraaien en naar mij toe zou komen, maar het gebeurde nooit.

Rutger deed er alles aan Robbie te pleasen en had elke dag sigaretten bij zich. Hoe hij eraan kwam wist ik niet, want het pakje dat ik voor hem had betaald moest allang op zijn.

Op een dag na schooltijd kwam Jasper naar ons toe en

vertelde dat we ons allemaal bij het kanaal moesten verzamelen omdat Robbie een belangrijke mededeling had. Op weg naar het kanaal fietste ik vlak achter Rutger. Ik hoorde hem druk tegen Robbie praten, die voorop reed. We verstopten onze fietsen in de bosjes en kropen door de struiken tot vlak bij de waterkant. Toen we allemaal om Robbie heen zaten, keek hij Rutger aan en knipte met zijn vingers. Rutger sprong op en haalde een sigaret uit zijn zak. Robbie haalde lucifers tevoorschijn en stak hem aan. Hij inhaleerde heel diep en hield de sigaret tussen zijn duim en wijsvinger. Niemand vroeg een trekje, Robbie bepaalde wanneer we aan de beurt waren. Soms pafte hij de hele sigaret alleen op. Hij keek Jasper aan, die moest checken of we er allemaal waren. Toen Jasper zijn duim opstak, vertelde Robbie dat we voor een belangrijke missie bij elkaar waren gekomen. Hij wilde een nieuwe assistent. Jasper, die net als wij door het bericht werd overvallen, werd rood van schrik. Hij was al minstens een jaar Robbies assistent en had alles gedaan wat hij kon om hem in zijn leiderschap bij te staan.

Een van de jongens stelde voor om te stemmen, maar het voorstel werd onmiddellijk door Robbie afgewezen. Hij was degene die bepaalde wie Jaspers opvolger werd en verder niemand. Het werd stil. Het werd altijd stil als Robbie kwaad werd, bang als we waren dat we uit de groep werden getrapt. Het was bepaald niet fijn om onder Robbies leiding in de groep te zitten, maar helemaal niet in de groep zitten was nog veel erger. Robbie zei ons dat we allemaal een spannende gebeurtenis moesten vertellen. Iets wat we zelf hadden meegemaakt en wat echt was gebeurd. Degene met de spannendste belevenis werd zijn assistent. Hij raadde ons aan heel goed na te denken en vooral niet te liegen. Ik zag dat Rutger heel diep nadacht. Achteraf denk ik dat het zo'n beetje zijn droom was om assistent van Robbie te worden. Zelf moest ik er niet aan denken uitgekozen te worden, dus ik besloot een verhaal te vertellen wat totaal niet boeiend was. Robbie wees Ad aan, die mocht beginnen. Ad had zijn buurmeisje in haar nakie voor het raam gezien. Ze had zich uitgekleed zonder de gordijnen te sluiten en hij had haar tieten gezien. Hij keek trots naar Robbie. Maar die lachte hem in zijn gezicht uit. Ads buurmeisje was spuuglelijk. Hij zou de tieten van dat spook uit de opera voor geen prijs hoeven zien. Als Ad nog eens de tieten van een mooie meid zag, kon hij terugkomen.

Ik wist dat Ad ook heel graag assistent wilde worden. Hij keek naar de grond.

Eric wist zeker dat hij de nieuwe assistent zou worden. We moesten ons erop voorbereiden dat hij zou winnen. Robbie zei dat hij haast met zijn verhaal moest maken omdat het anders helemaal niet meer hoefde en zijn beurt voorbij was. Eric vertelde dat hij juf Claartje had zien zoenen met een jongen van onze school. Iedereen was geschokt. Robbie keek hem vuil aan en vroeg wie die gast was.

Toen Eric vertelde dat het Ron was, werd Robbie woest en schreeuwde dat hij loog. Hij vloekte en tierde en zei dat juf Claartje zoiets nooit zou doen, tenminste niet met een eikel als Ron. Het was stom van Eric. We wisten allemaal dat Robbie verliefd op juf Claartje was. 's Avonds reed hij weleens langs haar huis en soms verstopte hij zich achter de boom aan de overkant en dan gluurde hij naar binnen. Een keer had hij haar in haar badjas door de kamer zien lopen. Als een van ons zoiets had verteld, dan had hij geheid uit de groep gelegen, maar Eric wist dat Robbie hem er nooit uit kon zetten, want Robbies moeder maakte schoon bij Eric thuis. Hij schold net zo lang tegen Eric tot hij toegaf dat hij niet zeker wist of ze echt hadden gezoend of gewoon dicht bij elkaar stonden.

Eric maakte met zijn verhaal geen enkele kans op de begeerde plek. Alle andere verhalen ook niet. Robbie schold ons uit dat we te stom waren en dat er misschien niet eens een nieuwe assistent tussen zat. Alle hoop was op Rutger gevestigd, die niet kon wachten om zijn verhaal te vertellen. Hij begon met te zeggen dat hij iets heel spannends had beleefd, wat totaal geen indruk maakte omdat we dat allemaal hadden gezegd. Robbie gaf hem een duw zodat hij moest opschieten. Zelf was ik ook heel benieuwd naar Rutgers verhaal. Ik vond het moeilijk tegenover hem te zitten en net als alle anderen te wachten tot hij ging vertellen en ik keek naar de grond.

'Ik heb hier in ons dorp een jongen gezien die zich als meid verkleedde,' hoorde ik Rutger zeggen. Ik schrok me dood. Dit kon niet waar zijn. Even dacht ik dat het een nachtmerrie was, maar ik was klaarwakker.

Robbie pakte Rutger bij de arm en schreeuwde dat hij een vuile leugenaar was. Hij knipte met zijn vingers. De jongens sprongen op en smeten Rutger in het gras. Robbie schold hem uit voor vervloekte imbeciel en riep dat Amy gelijk had dat hij kwaad over het dorp zou zaaien. Hij had

misschien gedacht dat hij de plek door leugens kon ver-
overen, maar zo stom was Robbie niet.

Robbie bleef maar schelden. Ik trilde vanbinnen. Rutger
had me proberen te verraden, maar godzijdank geloofden
ze hem niet. Ineens besefte ik hoe gevaarlijk het was ge-
weest om Rutger die kant van mezelf te laten zien die ik zo
lang verborgen had gehouden. Ik had gedacht dat ik hem
kon vertrouwen, ik had medelijden met hem gehad omdat
hij werd gepest, en had op het gevaar af dat ik werd be-
trapt hem vaak gewaarschuwd. Ik wilde niet zo zijn als al
die anderen en ik was vrienden met hem geworden. Die
jongen wilde mij nu verraden. Hij probeerde over mijn rug
hogerop in de groep te komen. Ik keek hem aan, maar hij
durfde niet mijn kant op te kijken.

'Ik lieg niet!' riep hij toen Robbie hem omhoogtrok en
hem een duw gaf en zei dat hij moest oprotten. 'Ik lieg niet.
Het is echt gebeurd. Het was bij ons thuis. Hij was het, hij
heeft zich als meid verkleed.' Rutger wees naar mij.

'Hij heeft een jurk van mijn zus aangetrokken, zich op-
gemaakt en hij wilde met mij zoenen.'

Alles draaide voor mijn ogen. Ik was kotsmisselijk. Ik
denk dat ik groen aanliep. Ik had hem moeten grijpen en
hem een pak op zijn donder moeten geven, maar ik kon
daar alleen maar staan. Robbie vroeg me, nee, hij smeekte
me bijna, of het was gelogen. Ik had alleen maar hoeven
knikken, maar ik kon niks. Mijn eten kwam omhoog en ik
kotste in het gras. Nog een keer vroeg Robbie of het een
leugen was en toen ik niks zei werd hij woest.

'Het is echt waar!' hoorde ik Rutger roepen. 'Hij wilde
ook tieten. Hij propte sokken in mijn zus haar bh.'

Robbies ogen boorden zich in de mijne. Hij maakte me uit voor zieke idioot omdat ik me als een wijf had verkleed. Hij riep Rutger uit tot zijn nieuwe assistent en beval hem de jurk en de make-up te halen. Ze hielden me vast, precies zoals ze Rutger elke dag hadden vastgehouden. Robbie schold me uit voor vieze homo en iedereen mocht een keer in mijn gezicht spugen. Ik probeerde mijn gezicht af te wenden, maar toen kreeg ik een klap. Ik was bang voor wat er ging komen, en wachtte op het moment dat hun aandacht even verslapte. Toen rukte ik me los en rende weg. Maar Robbie had me al te pakken. Net op dat moment kwam Rutger eraan. Hijgend gaf hij alle attributen aan Robbie. Onder luid geschreeuw en gelach trokken ze mijn kleren van mijn lijf. Ik kreeg een slipje aan, en daaroverheen de jurk. Terwijl twee jongens me vasthielden, maakte Rutger me op. Ik moest schoenen met hoge hakken aantrekken en lopen. 'Lopen, lopen!' hoorde ik Robbie schreeuwen en hij duwde me vooruit, terwijl de anderen krom van het lachen lagen.

Hij hield mijn kleren voor mijn gezicht en smeet ze in het kanaal. 'Wegwezen, jongens!' riep hij en ze raceten allemaal weg.

Ik stond aan de waterkant, doodsbang dat iemand me zou zien. Zo kon ik onmogelijk naar huis. Ik durfde zo absoluut niet door het dorp te lopen, mijn vader zou me vermoorden. Ik was er zo kapot van dat ik niet eens kon janken. Ik trok de jurk uit en dook het kanaal in. Ik greep mijn broek en smeet hem op de kant. Mijn T-shirt had ik al te pakken. Toen dat ook op de kant lag dook ik naar mijn gympen, die al bijna op de bodem lagen. Mijn onder-

broek dreef in het midden van het kanaal. Ik liet hem gaan en klom nu zelf op de kant. Ik wrong mijn kleren uit en trok ze aan. Druipend stapte ik op de fiets.

Toen ik thuiskwam, sloeg mijn moeder een hand voor haar mond. 'Nee! Wat is er gebeurd?'

'Een auto heeft me gesneden,' zei ik. 'Ik kon alleen nog het kanaal in rijden, anders had ik eronder gelegen.'

'Schandalig!' zei mijn moeder. 'Wat was het voor een auto?'

'Een eh... een Opel, een groene Opel.'

'Trek je kleren uit en onder de douche,' zei mijn moeder.

Lieve Luna,

Ik had verwacht dat ze me de volgende dag op het schoolplein zouden opwachten, me pootje zouden haken als ik langsliep, mijn banden leeg zouden laten lopen, een dooie rat in mijn tas zouden doen, en me na schooltijd van mijn fiets zouden sleuren en me aftuigen. Maar ze deden niets. Ze keken dwars door me heen alsof ik lucht was en reageerden niet toen ik 's morgens hoi zei en ze gaven ook geen antwoord als ik iets vroeg. Niet alleen de jongens van het groepje, niemand reageerde. Ze zwegen me dood.

In het speelkwartier stond ik in mijn eentje, met mijn rug tegen de eik. Ik zag dat Rutger dolgelukkig rondliep. Sinds hij assistent van Robbie was, had hij een soort bravoure die ik eerder niet had gezien. Ook liep hij niet meer in elkaar gedoken, daardoor leek hij breder en langer. Het scheen hem niets uit te maken dat hij mij had verraden. Maar zijn euforie duurde nog niet eens één week. Ik hoorde de jongens tegen elkaar praten. Rutger was door zijn moeder betrapt toen hij sigaretten pikte. Omdat hij niets meer bij zich had, had Robbie hem uit de groep gegooid. Vanaf die dag stond hij aan de andere kant van het plein, net als ik, alleen, met zijn rug tegen de muur.

Maar hem negeerden ze niet. Onder het speelkwartier hoorde ik ze plannen beramen om hem na schooltijd te overvallen.

Tosca kwam na schooltijd naar me toe met haar vriendenboekje. Ze vroeg of ik erin wilde schrijven. Maar Amy kwam al aangerend, griste het boekje uit mijn handen en sleurde Tosca mee. 'Mag niet van Robbie.'

Toch redde ik het. Dat kwam doordat ik aan later dacht. Het vooruitzicht, de droom dat ik ooit mezelf mocht zijn, hield me overeind. En elke keer als ik in de war was, of somber omdat ik geen uitweg meer zag, voelde ik aan de jurk onder de plank in mijn kast en dan was het goed. Ik had de jurk al vaak aangetrokken. Niet in mijn kamer, want er zat geen slot op de deur. Maar als ik zogenaamd ging douchen. Ik frommelde hem onder mijn trui, en in de badkamer trok ik hem aan. En elke keer weer was het fijn. Ik wist dat ik nooit meer terug kon en belangrijker nog, ik wilde ook niet meer terug. Ooit zou ik een meisje zijn.

Het gebeurde op een ochtend toen ik mijn tanden poetste. Mijn zus stond naast me en stiftte haar lippen. Ze mompelde iets dat hij op was en liet de lippenstift in het prullenbakje vallen. Toen ze weg was, viste ik hem er snel uit. Voor haar was hij op, maar ik kon hem goed gebruiken en stopte hem in mijn zak. Even later verborg ik hem onder de plank bij de jurk. Ik had een eigen lippenstift! Op school moest ik er steeds aan denken. Ik zag mezelf al in mijn jurk met gestifte lippen voor me. Ik kon niet wachten tot de dag voorbij was, en toen de bel ging stapte ik op mijn fiets en reed naar huis.

'Ik ben bezweet,' zei ik tegen mijn moeder. 'Ik ga onder de douche.'

Ze keek me aan. 'Al weer douchen?'

'We hebben gevoetbald,' zei ik. Ze zei niets meer, keek me alleen even aan.

Ik rende bijna de trap op, haalde de jurk en de lippenstift uit de kast, stopte ze onder mijn trui en ging de badkamer in. Ik dacht aan het haakje. Ik had nog nooit vergeten de deur op het haakje te doen. Ik kleedde me uit. Mijn moeder moest denken dat ik onder de douche stond, dus zette ik de kraan aan. Ik hield de jurk in mijn handen, wreef met de zachte stof tegen mijn wang en trok hem aan. Ik keek naar mezelf in de spiegel en straalde. En toen stiftte ik mijn lippen. Tevreden bekeek ik het resultaat, maar ik was nog niet klaar. Op de glazen plaat boven de wasbak lagen prachtige schuifspeldjes van mijn zus. Ik nam een pluk haar, deed het naar achteren en zette het met een speld vast. Ik gebruikte nog drie speldjes. Nu leek het net alsof ik een staartje had. Terwijl ik daar stond, droomde ik dat ik in de jurk met mijn meisjeslichaam over straat liep, in een stad, ver weg van ons dorp, waar niemand me zou herkennen.

Ineens ging er een schok door me heen. Voetstappen op de gang, ze waren van mijn moeder. Ze liep door naar de kamer van mijn zus, maar ineens was het stil. Waar was mijn moeder? Ik luisterde gespannen en toen rats! Het haakje schoot los en mijn moeder rukte de deur open. Ik stond als genageld aan de grond. Hoe moest ik mij verantwoorden? Maar er viel niets te verantwoorden.

'Here Jezus!' riep mijn moeder. Ze sloeg haar handen voor haar mond. 'Het is dus toch waar!' Ze zakte op haar knieën op de grond en begon te snikken. 'Ze hadden dus toch gelijk... Mijn zoon verkleedt zich als een meisje. Heer, red ons. Alstublieft.' Ze kermde dat ze niet wist hoe het verder moest, en al die tijd stond ik daar maar. Alles wat ze zei, zei ze niet tegen mij. Ik kon het niet langer verdragen en liep langs haar heen naar mijn kamer. Ik trok de jurk uit en deed mijn eigen kleren aan.

Die avond was ik bang om aan tafel te gaan. Bang voor wat er ging komen. Mijn moeder had niets tegen me gezegd. Ze was terug naar de winkel gegaan. Toen mijn vader thuiskwam, werd mijn zus geroepen; ze moest op de winkel passen. Mijn ouders gingen de kamer in. De deur ging dicht. Dat kwam bijna nooit voor, alleen als er iets heel ernstigs aan de hand was. Eén keer eerder was de deur dichtgegaan. Later hoorden we dat mijn oma erg ziek was en binnen niet al te lange tijd zou sterven.

Het duurde wel een halfuur voordat mijn moeder de kamer uit kwam. Ik hoorde mijn vader telefoneren. Ik dacht dat hij woedend boven zou komen, maar er gebeurde niets.

'Het eten staat op tafel!' riep mijn moeder. Ik haalde diep adem en ging naar beneden. Mijn ouders en mijn zus zaten al aan tafel.

'Ga zitten, jongen,' zei mijn vader plechtig, 'en vouw je handen.' Hij sloeg de bijbel open en citeerde hardop: '"Deuteronomium 22 vers 5: Een vrouw zal geen manskleren dragen en een man geen vrouwenkleed aantrekken,

want eenieder die dit doet, is De Here, uw God, een gru-
wel." Doordat onze zoon tegen Uw wil in contact heeft ge-
zocht met het vervloekte gezin in het dorp, is het kwaad
zijn lichaam en geest binnengedrongen. Wilt U hem ver-
geven? Ik smeek U, wilt U hem van dit kwaad verlossen?
Amen.'

'Wat een triest verhaal,' zegt Eva hardop. Hoe is het mogelijk dat Luna dit voor zich heeft kunnen houden. En
waarom?

15

Eva vouwt gauw de volgende brief open en leest verder.

Lieve Luna,

*Elke avond tijdens het avondgebed eindigde mijn vader
met het verzoek of de Here Jezus mij alstublieft van het
kwaad wilde verlossen. Maanden achter elkaar. Er klonk
dan opgekropte woede in zijn stem door. Terwijl mijn moeder strak voor zich uit keek, loerde mijn zus schuin naar
me. Verder werd er nooit, helemaal nooit een woord gesproken over wat er was gebeurd. Het haakje dat mijn
moeder van de badkamer had gerukt toen ze de deur open-
maakte, bleef eraf. En als ik alleen op mijn kamer zat,
kwam mijn zus opeens binnen, zonder te kloppen, iets wat
ze daarvoor nooit had gedaan. Dan stond ze maar wat en
keek ze rond, en als ze niks vreemds kon ontdekken ging
ze weer weg. Het was altijd onverwacht, soms twee of drie
keer in de week. Ze moet op haar sokken door de gang zijn
geslopen, want ik hoorde haar nooit aankomen. Nog geen
halve minuut nadat ze weg was hoorde ik haar dan de
winkel in gaan. Ik denk dat ze dan verslag uitbracht. Op*

school bemoeide niemand zich meer met me. Alleen Tosca probeerde weleens contact met me te zoeken, maar dan werd ze teruggefloten.

Ik kon me thuis niet meer verkleden, maar ik voelde het in mijn hele lichaam, ik moest af en toe toegeven aan mijn verlangen om te kunnen zijn wie ik was. Mijn jurk was me afgenomen en ik kon ook niets uit de kamer van mijn zus pakken, want ik wist zeker dat ze alles in de gaten hield.

Op een dag hield ik het niet meer uit. Ik ging naar de drogist in het dorp. Ik keek naar binnen en bleef net zo lang staan tot alle klanten waren geholpen. Ik ging naar binnen en keek naar de gekleurde elastiekjes die je in je haar kon doen. Ik zocht er een paar uit en legde ze op de toonbank. De vrouw keek me aan.

'Wilt u ze mooi voor me inpakken?' vroeg ik. 'Het is een verrassing voor mijn vriendinnetje.'

Thuis verstopte ik ze onder de plank in de kast. Als ik 's nachts wakker werd, sloop ik uit bed en deed de elastiekjes in mijn haar. Ik had expres tegen de kapper gezegd dat hij mijn haar niet te kort moest knippen omdat het zogenaamd over de moedervlek in mijn nek moest vallen. Ik maakte twee kleine staartjes. Helaas kon ik het niet zien in het donker, maar ik voelde me geweldig en stelde me voor hoe ik eruitzag. Ik dacht dan hoe het zou zijn als ik was geopereerd en een echte vrouw zou worden. Ik werd opgewonden, maar tegelijk ook bang. Mijn ouders zouden het nooit accepteren. Niemand in het dorp zou het accepteren. Ik moest er niet aan denken wat er dan zou gebeuren. Ik dacht aan de pijn die ik mezelf en hun zou aandoen.

Ik duwde die gedachte snel weg.

Lieve Luna,

Mijn vader was ervan overtuigd dat het gezin van Rutger de oorzaak was van al het kwaad, en zocht een scholengemeenschap voor me uit ver van ons dorp. Alle kinderen van mijn klas gingen naar Goes, maar mijn vader wilde koste wat kost voorkomen dat ik bij Rutger op school zou komen. Elke dag moest ik achttien kilometer fietsen in mijn eentje, maar het voordeel was dat niemand me daar kende. Ik kon helemaal opnieuw beginnen.

Die dag ging ik voor het eerst mijn nieuwe klas in. Een meisje kwam naast me zitten. Ze had een tatoeage op haar arm, een piercing door haar lip en kortgeknipt haar dat ze met wax omhoog had gestyled. Geen enkel meisje in ons dorp zag er zo uit, maar het stond haar geweldig. Ze begon meteen tegen me te kletsen, zei dat ze veel liever met jongens omging dan met meiden. Maar ze hield niet van die jongens die meteen verliefd op haar werden of klef gingen doen. Ik leek haar wel een geschikte gast. Ze had al een jaar de brugklas gedaan op een andere school, maar ze had niks uitgevoerd, daarom moest ze het nu hier overdoen. Haar een zorg, ze zat hier alleen maar omdat ze nog leerplichtig was en van haar ouders een diploma moest halen. Allemaal onzin, vond ze, want ze werd toch zangeres. Ze pakte haar mobiel en liet me haar foto's van haar band zien. Allemaal meiden. Ik was in het begin nog een beetje op mijn hoede. Ik durfde bijna niet te geloven dat Kim, want zo heette ze, mij echt leuk vond. Ik voelde dat het niet makkelijk was iemand te vertrouwen. Maar Kim was heel open. Ze flapte er van alles uit en dat maakte haar juist zo leuk. Het ging vanzelf, we brachten elke pauze samen door.

Toen er een keer twee lesuren uitvielen, fietsten we samen naar het centrum. Kim had een winkel gespot. Onderweg zag ik een winkeltje met sieraden. Toen Kim een superstoere riem had gekocht stelde ik voor nog even in de sieradenwinkel te kijken. Ik verzon dat ik een cadeautje voor mijn zus moest kopen. Toen we voor de etalage stonden werd ik al opgewonden. Ze verkochten heel mooie oorbellen en ringen voor weinig geld. Kim vroeg zich af of we wel naar binnen moesten gaan omdat het er zo mierzoet uitzag, maar ik zei dat mijn zus zo'n soort meisje was.

Heel zorgvuldig bekeek ik de oorbellen. Ik hield ze me voor, om zogenaamd te zien hoe ze bij mijn zus zouden staan. Ik twijfelde en keek Kim vragend aan. Als het zo'n zoetig typetje was, dan zou ze ze wel mooi vinden, zei Kim. Maar ineens ontdekte ik een kettinkje met een hartje eraan. Mijn adem stokte even, zo mooi vond ik het. Ik voelde het de hele dag in mijn zak; voor het eerst had ik een sieraad voor mezelf gekocht. Het had maar vier euro gekost, maar ik was er zo gelukkig mee.

De week erna nam Kim me mee naar de markt. Bij een sieradenkraam bleef ik staan. Kim vroeg of ik al weer iets voor mijn zus zocht. Ik verzon dat ze mijn kamer had opgeruimd en al heel vaak de afwasbeurt van me had overgenomen. Kim wilde ook zo'n zus. Ze had alleen een broer, een eikel die haar pestte omdat ze zo jongensachtig was.

Mijn ouders waren voor het eerst naar de ouderavond geweest. Ze hadden met mijn studiebegeleider gesproken. Hij had ze verteld dat ik met Kim omging en dat hij dacht dat er iets tussen ons was. Hij had gezegd dat het me goed leek *te doen; ik was niet meer zo verlegen en teruggetrokken als aan het begin van het schooljaar.*

Die avond bad mijn vader hardop en dankte de Heer dat hij me van het kwaad had bevrijd. Ze moeten hebben gedacht dat ik eroverheen was gegroeid, want er kwam ook weer een haakje op de badkamerdeur.

Dankzij Kim groeide mijn verzameling onder de plank in mijn kast. Ze gaf me af en toe iets mee voor mijn zus wat ze zelf tuttig vond. Om haar te pesten had haar broer haar voor sinterklaas een hemdje met kantjes gegeven. Ze liet het me zien en ik werd er helemaal lyrisch van. Als mijn zus het niet mooi vond, zei ze erbij, dan moest ze het maar weggooien. Sinds die dag lag ik 's nachts in mijn hemdje met kant aan in bed. Ik zette de wekker van mijn mobieltje op vier uur, ruim voordat mijn vader de bakkerij in ging, dan liep ik geen enkel risico. De gedachte dat ik als meisje in slaap viel, maakte me heel gelukkig.

Omdat ik zo belachelijk ver weg woonde vroeg Kim gelukkig nooit of ze met mij mee mocht. Ik moest er niet aan denken dat ze mijn zus zou ontmoeten. Ik ging wel met haar mee naar huis. Haar ouders hadden een rijschool. Ik moest lachen toen ik Kims kamer zag. Het paste helemaal. Overal posters van ruige popsterren en ze had de naam van haar band met fluorescerende groene verf op haar muur gespoten. Ze haalde een cola voor ons van beneden en toen zei ze dat ze mij een geheim ging vertellen. Eerst moest ik zweren dat ik het nooit zou doorvertellen. Toen ik mijn vingers ophield zei ze dat ze lesbisch was. Ik knikte alsof het vanzelfsprekend was.

'Je vindt het dus niet raar?' vroeg ze.

'Nee,' zei ik. 'Helemaal niet.'

Ze was verliefd op een meisje van haar band en ze hadden al gezoend. Toen keek ze me aan. 'Nou moet jij mij jouw geheim vertellen. Of heb je geen geheim?'

'Nee,' zei ik. 'Ik heb geen geheim.'

Lieve Luna,

Ik wist natuurlijk al die jaren al dat het zou gaan gebeuren, maar ineens was het zover: haren op mijn benen. Ik vloekte toen ik ze zag, pakte een pincet en rukte ze eruit. Maar het was net als onkruid in de zomer, er was geen houden meer aan. Ze kwamen niet alleen op mijn benen, maar nu ook onder mijn oksels, donkerbruine haren. Ik walgde van mezelf. Het was al erg genoeg dat ik in een jongenslichaam was geboren, maar door die haren werd het nog eens extra benadrukt.

Dit was pas het begin van die ellende, want vlak daarna hoorde ik een verandering in mijn stem.

'Haha,' lachte mijn zus aan het ontbijt. 'Je hebt de baard in je keel.'

Ik gaf haar een mep. Ik, die nog nooit iemand had geslagen.

Ik keek angstvallig naar de jongens van mijn klas, die trots over de donzen haartjes op hun bovenlip wreven. Even had ik hoop dat het mij bespaard zou blijven. Ik zat al in de vierde van de havo toen ze toch nog kwamen. Ik gruwelde bij de gedachte dat ik me over een tijdje moest scheren.

Al die jaren ging ik met Kim om. Het makkelijke van Kim was dat ze vaak met zichzelf bezig was. Onze gesprekken gingen voornamelijk over haar leven. Ze vroeg me weinig over het mijne. Ik voelde me veilig met haar en ik hield van haar humor en ze kon ook heel lief en zacht zijn.

Ze had op school bekendgemaakt dat ze lesbisch was. Een enkel grinnikje volgde, maar niemand pestte haar ermee. Kim pestte je nou eenmaal niet. Ze leek niet zo kwetsbaar, ze was vooral trots dat ze erachter was gekomen wie ze was. Als iemand er iets stoms over zei, lachte ze hem uit.

Als Jeffrey dat jaar niet in onze klas was gekomen, dan was het misschien anders gelopen. Jeffrey was openlijk homo. Ik voelde het meteen toen hij voor het eerst naar me keek: hij was verliefd op me. Hij brandde cd's voor me, en probeerde zoveel mogelijk in mijn buurt te zijn. Ik had zeker gevoelens voor Jeffrey, maar die duwde ik weg. Ik wilde wel vrijen met een jongen, maar ik was geen homo. Ik werd niet opgewonden van twee piemels tegen elkaar. Ik wilde een jongen die mijn borsten zou strelen. Een jongen naast wie ik kon lopen als een meisje met hakken aan. Ik wilde een jongen, maar niet met dit jongenslichaam. Ik was intussen zestien. Nog twee jaar en ik was volwassen. Dan kon ik aan het nieuwe lichaam beginnen.

Jeffrey moest gedacht hebben dat ik niet uit de kast durfde te komen en dat hij mij er wel bij zou helpen. Hij bleef maar aankomen met kleine attenties en op Valentijnsdag gaf mijn moeder me met een stralend gezicht een kaart die voor mij was gekomen. Ze had hem al gelezen, want er zat geen envelop omheen. 'Ik hou van je!' stond erop. Ik dacht meteen aan Jeffrey.

'Zeker van Kim,' zei ze toen ik rood werd. Ik knikte, maar hij was niet van Kim, ik kende haar handschrift. Mijn moeder vroeg wanneer ze haar aanstaande schoondochter nou eens te zien kreeg, dat had ze al zo vaak gevraagd. Ik zei voor de zoveelste keer dat Kim daar veel te verlegen voor was.

Toen ik samen met Kim door de school liep vroeg ze waarom ik haar niets had verteld. Ik bleef verschrikt staan. Zou ze iets vermoeden? Maar het ging over de Valentijnskaart. Jeffrey had haar verteld dat hij mij een kaart had gestuurd. Jeffrey begon er nu dus echt werk van te maken. Hij had Kim waarschijnlijk benaderd om een goed woordje voor hem te doen. Het ontbrak er nog maar aan dat hij de rest van de klas er ook bij haalde. Ik twijfelde. Als ik verkering met Jeffrey nam, dacht iedereen dat ik homo was. Dat was beter dan dat ze gingen uitpluizen hoe het echt zat en erachter zouden komen dat ik een meisje wilde zijn. Ik kon heus wel zoenen met Jeffrey, daar zat het probleem niet. Maar ik vond het niet eerlijk tegenover hem. Op een dag zou hij seks willen en dat kon ik echt niet opbrengen. Dus ik ging nergens op in.

Kim stelde het plompverloren voor toen we samen aan het shoppen waren. We zouden aanstaande zaterdagavond uitgaan en haar vader zou mij thuisbrengen. We gingen naar een bar en Jeffrey zou ook komen. Ze keek naar me met die brutale blik van haar waarmee ze alles voor elkaar kreeg. Zij was toch ook lesbisch, begon ze, en zij werd toch ook niet gepest? Ze vroeg waar ik zo bang voor was. Ik bleef midden op de brug staan en keek over het water. Ze sloeg een arm om me heen en vroeg voor de tweede keer waarom ik niet uit de kast durfde te komen. Ik zei dat ik helemaal niet bang was, maar dat ik geen homo was. Jeffrey kon dat wel denken, maar het was niet zo. Ik had niet tegen haar gelogen en dat vond ik fijn. We waren intussen zo vertrouwd met elkaar en Kim had me onlangs verteld dat ik haar allerliefste vriend was. Ik vond het vreselijk om tegen haar te liegen, maar gelukkig hoefde dat ook niet. Ik zei dat ik het zeker wist, dat ik anders wel op Jeffreys avances was ingegaan. Ze geloofde me.

Jeffrey bleef voortaan uit mijn buurt en heel snel daarna had hij verkering met een jongen uit de eindexamenklas.

Kim begon zich met mijn liefdesleven te bemoeien, waarmee het volgens haar wel erg armzalig was gesteld. Zo lang ze me kende, had ik met niemand gezoend. Ik deed het af met een grap, maar zo gemakkelijk kwam ik er niet vanaf.

We waren samen op haar kamer toen ze zich ging omkleden. Dit had ze nog nooit gedaan waar ik bij was, maar nu stond ze in haar slipje en bh voor haar kast. Ik kon haar in de spiegel zien. Ze had prachtige borsten, niet te groot en ook niet te klein. Zulke borsten wilde ik ook hebben. Opeens draaide ze zich om en keek me aan. Ze zei dat ik naar haar had gekeken. Ik knikte en grapte dat iedere jongen dat zou hebben gedaan.

Kim zei dat jongens naar blote meiden keken alsof het het mooiste van de wereld was. Ik bevestigde dat een blote vrouw inderdaad het mooiste van de wereld was. Ze vroeg of ik dat meende en ik zei ja. Ze moest eens weten hoe mooi ik haar lichaam vond en hoe graag ik mijn jongenslijf met haar wilde ruilen. Ze vroeg weer of ik het meende en toen ik ja zei ging ze naast me zitten. Ze vond dat ik heel veel miste, omdat ik nooit een meid versierde. Dat het tijd

werd dat dat ging gebeuren. Ik hoefde niet meteen smoorverliefd te zijn, maar ik moest gewoon een keer lekker zoenen en in tieten knijpen. Ze gaf me een kus. Ze beloofde
me dat het goed zou komen. Ik hoefde me niet druk te
maken, het kwam goed, daar zorgde zij wel voor. Als Kim
zoiets zei, dan kon je ervan opaan. Wat was ze van plan?
Ze zou een of andere griet op mijn dak sturen, en dan? De
hele weg naar huis dacht ik eraan.

's Nachts droomde ik dat er een meisje mijn kamer in
kwam, helemaal naakt. Ze streelde me en kuste me en ging
boven op me zitten. Ze wreef met haar hand over mijn pik,
maar er gebeurde niks. Mijn pik werd niet stijf, ook niet
toen ze eraan zoog. Ineens stond de hele klas van de basis-
school om me heen. Ze lachten me uit.

'Je moet hem een jurk aantrekken!' riep Rutger. 'Dan
komt hij klaar.'

Badend in het zweet werd ik wakker. Ik wilde absoluut
niet dat Kim actie ondernam. Het was weekend, maar als
ik wachtte tot maandag was het misschien al te laat.

Zaterdagochtend belde ik Kim op om te vertellen dat ik
haar moest spreken. We spraken bij haar thuis af. Ze
schrok toen ze me zag en vroeg wat er aan de hand was.
We gingen naar haar kamer. Ik zei dat ik niet wilde dat zij
iets voor me zou regelen.

Kim keek me aan. 'Wat is er toch met je?' vroeg ze en
deze keer liet ze zich niet afschepen, dat was duidelijk. Ze
pakte mijn hand en gaf er een kus op. Ze zei dat ik gerust
eerlijk tegen haar kon zijn. Ze was zelf lesbisch en dat was
ook niet altijd makkelijk geweest. Nu wel, omdat ze het
wist en er eerlijk voor uit was gekomen, maar toen ze het

nog niet wist had ze met zichzelf overhoop gelegen. Ze praatte tegen mij, maar eigenlijk sprak ze hardop tegen zichzelf. Het was een heel lastige weg geweest, ze had tijden niets van zichzelf begrepen en ze was jaloers geweest op de meisjes uit haar klas die op jongens waren. Ze had het gevoel dat ze er niet bij hoorde.

Ik vroeg het zomaar. 'Wil je zelf niet liever een jongen zijn?' Ze schudde haar hoofd en keek me aan. Misschien kwam het door haar zachte blik, maar ik barstte in snikken uit. Ze pakte mijn hoofd en drukte het tegen haar borst aan. Ik bleef huilen, alsof ik nooit meer kon ophouden.

'Lieve schat,' zei ze zachtjes, 'waarom ben je zo verdrietig?' Ze nam mijn gezicht tussen haar handen en gaf een kus op mijn neus.

'Ik zie er alleen maar uit als een jongen,' snikte ik, 'maar ik voel me een meisje...' Ik keek haar angstig aan.

'Fuck!' zei ze. 'Fuck! Fuck! Fuck!' Er stonden tranen in haar ogen.

Ik heb het verteld, ik heb mijn geheim prijsgegeven, dat was het enige wat ik dacht. Ik wenste dat het een nachtmerrie was, dat ik elk moment wakker zou worden, maar ik was klaarwakker en zat in Kims kamer. Wat had ik gedaan? Ik had mijn hele leven in haar handen gelegd. Ik was geen vrij mens meer, maar volkomen afhankelijk van Kim, die nu misschien begaan was met mijn lot. Maar hoe kon ik zeker weten wat ze ermee zou doen? Ik dacht aan die ene keer, bij het water, jaren geleden, toen Rutger me had verraden. Dat kon nu weer gebeuren.

Ik stond op en liep naar de deur.

'Joël!' riep Kim nog, maar ik liep door. Het liefst wilde ik haar nooit meer zien. Kon ik maar vluchten, maar het zou niks uitmaken, ik nam mezelf mee en ik wilde het mijn ouders ook niet aandoen. Ik reed op de fiets naar huis. Een enorme eenzaamheid overviel me. Nu had ik niemand meer. Ik reed langs het kanaal en hield stil bij de waterkant. Ik had hier vaker gestaan. Ik kon mijn das om mijn mond en mijn neus binden en het water in rijden. Het gevoel mijn leven te beëindigen was nog nooit zo sterk geweest als op dat moment. Ik moest nog twee jaar wachten voor ik meerderjarig was, dan kon ik me zonder goedkeuring van mijn ouders laten opereren. Maar hoe moest ik die twee jaar doorkomen? Terwijl ik in het water keek, zag ik voor me hoe het zou zijn als Kim mijn geheim had doorverteld. Ik wilde niet nog eens worden vernederd. Ze zouden me pesten. Iedereen op school zou naar me wijzen en de leraren zouden erachter komen. Ze zouden mijn ouders bij zich op school roepen.

Ik dacht aan al die maanden van schaamte dat mijn vader hardop voor mij had gebeden. Ze zouden erachter komen dat ik nooit iets met Kim had gehad. Ik kon het niet meer. Ik haatte mezelf. Waarom was ik zo? Mijn leven was één grote leugen. Ik keek het water in en toen wist ik het. Ik wilde niet verder. Ik bond mijn das strak om mijn gezicht en reed met mijn fiets het kanaal in. Ik voelde het koude water tegen me aan. Ik kwam boven, maar ik dook weer omlaag. Ik voelde de bodem en probeerde me vast te houden aan een steen, maar ik werd steeds slapper. Ik had niet de kracht om onder te blijven en voelde dat ik omhoogdreef. Ik kon niet meer ademen.

Half buiten bewustzijn lag ik op de kant. Een man zat over me heen gebogen en perste lucht in mijn mond.

'Hij ademt,' hoorde ik zeggen. 'Hij leeft nog.' Toen drong het tot me door. Ik was gered. Maar ik was niet gered.

Ik vervloekte dat het was mislukt.

'Jongen.' Mijn moeder stond voor de bakkerij toen de ziekenauto voorreed. Ze sloeg haar armen om me heen en huilde. Ik zei dat ik duizelig was geworden en het water in was gereden. Ik moest in bed blijven tot de dokter me had onderzocht. Hij kwam meteen, maar kon niks vinden. Hij dacht dat het de groei was, dat kwam wel vaker voor op deze leeftijd. Mijn moeder was gerustgesteld.

Lieve Luna,
Na dat weekend ging ik angstig naar school. Wanneer zou Kim mijn geheim verraden? Of had ze dat al gedaan? Kim deed heel gewoon toen ik haar zag. Ik begon nergens over en zij hield ook haar mond. Mijn leven was veranderd, ik had geen rust meer en zocht overal wat achter. Als Kim met iemand stond te praten, dacht ik dat het over mij ging. Toen ik een keer na de pauze de klas in kwam, begon iedereen te lachen. Ze weten het, dacht ik. Ik wilde er bijna vandoor gaan, maar ze lachten om een jongen die zijn trui achterstevoren aanhad.

Nu was er een meisje verliefd op me. Ik ging nergens op in. Op een dag toen ik de aula in kwam, stond ze daar met haar vriendin. Ze vroeg wat er mis was met mij. Ik keek naar de grond. Ik wilde een smoes vertellen, maar ik was verkrampt en het leek of mijn mond dicht zat geplakt.

Kim keek me aan. 'Zeg het dan!'

Het leek wel een nachtmerrie. Ze wilde dat ik zomaar zei dat ik een meisje wilde zijn, daar midden in de aula. Ik voelde dat ik wit wegtrok en even dacht ik dat ik flauw zou vallen. Dit was het moment waarvoor ik zo bang was geweest. Al die weken had ze zich ingehouden en nu zette ze me voor het blok. Ik haatte de man die zogenaamd mijn leven had gered.

Toen ik nog steeds niks zei, hoorde ik haar mijn naam zeggen. Mijn maag kromp ineen.

'Joël heeft verkering,' zei ze. 'Met een meid uit zijn dorp waar hij al jaren achteraan liep. Nu is het aan. Ik heb haar gezien, echt een stuk.'

Daarna heb ik nooit meer last van de meisjes gehad. Kim hield ze op de hoogte van mijn verkering. Het was dik aan en ze dacht dat het nooit meer uit zou gaan. Voor het eerst kon ik haar weer recht in de ogen kijken. Kim was geen Rutger, ik kon haar vertrouwen.

'Ik heb het allemaal voor je uitgezocht,' zei Kim toen ik weer eens bij haar thuis was. 'Er is een vereniging voor genderkinderen.' Ze sprak het woord uit alsof het de gewoonste zaak van de wereld was. Ze zei dat het tijd werd dat ik iets ging ondernemen. Op mijn achttiende kon ik hormonen slikken, maar ik moest nu vast een beginnetje maken. Ze had het nummer van de vereniging opgezocht en voordat het tot me doordrong toetste ze het in. Het zweet brak me uit, maar ik vond het tegelijk ook op een fijne manier spannend. Ik liet het aan Kim over, zoals andere kinderen waarschijnlijk steun bij hun ouders zochten.

'U spreekt met Kim Verduin,' hoorde ik haar zeggen. 'Een vriend van mij is zestien. Joël heet hij en hij voelt zich een meisje, maar hij komt uit een streng gereformeerd gezin en kan er niet over praten. Ik vind dat hij in contact moet komen met andere genderkinderen om dit te delen. Hier is hij.' Ze gaf de telefoon aan mij. 'Als je dit niet eens durft,' zei ze terwijl ik trillend naast haar zat, 'dan durf je de rest ook niet. Het is een hele weg.'

Ik pakte de telefoon.

'Joël, dat je bang bent is een heel normale reactie,' zei een aardige stem. 'Ben je daar nog?'

'Ja,' fluisterde ik.

Ze wilde een afspraak maken en ze noemde een datum en vroeg of ik op die dag kon. Het maakte mij niet uit, ik kon altijd. Het gevoel was ineens zo sterk. Dit was het begin van mijn nieuwe weg en ik bedankte haar en hing op.

Kim gaf me een kus. Ze wilde met me meegaan naar Amsterdam en zei dat het haar geweldig leek als ik haar vriendin was. Ik wist alleen nog niet hoe ik het thuis voor elkaar moest krijgen. Maar Kim zei dat we samen naar mijn ouders zouden gaan en dat zij zou vragen of ik mee mocht naar haar oma in Amsterdam. Ze deed haar klerenkast open en trok iets nets aan.

Diezelfde middag nog liepen Kim en ik hand in hand door ons dorp. We gingen de bloemenwinkel in. Kim kocht theeroosjes voor mijn moeder. De vrouw van de bloemenwinkel bekeek haar van top tot teen. Iedereen in het dorp bekeek haar. Gordijnen gingen opzij en we zagen vrouwen met elkaar smoezen.

'Verrassing!' zei ik toen we de bakkerij in gingen. Kim gaf mijn moeder keurig een hand en daarna overhandigde ze de bloemen. Ze zei dat ze al zo lang had willen komen, maar niet durfde. Maar dat ik al heel veel over het prachtige dorp had verteld. Mijn moeder straalde. Ze stond erop dat Kim zou blijven eten en Kim zei dat ze het een hele eer vond om met de ouders van Joël aan tafel te zitten. Vlak voor het eten kwam mijn vader thuis. Hij begroette Kim vriendelijk en toen konden we aan tafel.

We vouwden onze handen en mijn vader bad hardop. Een heel lang gebed. Ik dacht steeds dat het klaar was, maar dan ging hij weer verder. Misschien was het het langste gebed ooit. In de aanwezigheid van Kim leek het ineens allemaal nog beklemmender. 'Here Jezus,' begon hij aan het eind van zijn gebed. 'Kim, de vriendin van onze zoon, is voor het eerst in ons midden. Wilt U hen behoeden voor stappen in de liefde die nog moeten wachten? Moge zij niet zondigen.'

Ik zag Kim even slikken. Ze keek naar me en ik wist wat ze dacht. Hoe heb jij het hier al die jaren uitgehouden?

Ik had het aan Kim te danken dat ik naar de ontmoetingsdag van de genderkinderen kon. Ze had mijn moeder helemaal voor zich gewonnen. Ik stond versteld van haar acteertalent. Onder de afwas hoorde ik haar zelfs tegen mijn moeder zeggen dat ze zich geen zorgen hoefde te maken, zij zou nooit iets doen wat van haar geloof niet mocht. Die woorden kwamen uit Kims mond. Kim, die nog nooit een kerk vanbinnen had gezien en alleen maar bij ons op school zat omdat ze er in de brugklas met de pet naar had gegooid. Mijn moeder had goedkeurend geknikt en mijn vader, die samen met mij in de kamer zat, stak zijn duim op. Ik had een goede smaak.

Nu was er geen ontkomen meer aan, ik moest de volgende stap zetten. De nacht voor de ontmoetingsdag lag ik wakker. Van opwinding, maar ook van angst. Ik wist zeker dat er geen weg terug meer zou zijn, maar ik voelde ook dat ik van mijn familie verwijderd zou raken.

Ik zat al vroeg met Kim in de trein en piekerde de hele reis lang. Nu het werkelijkheid werd, vroeg ik mezelf af of het wel de juiste stap was. Het was alsof ik de pijn van mijn ouders voelde. Zonder Kim had ik het nooit gered, ik weet zeker dat ik dan was teruggegaan. Er waren te veel onzekerheden om alleen aan te kunnen. Ze kwebbelde aan één stuk door, later zei ze dat ze dat expres deed om me af te leiden. In de tram in Amsterdam wilde ze per se dat ik ging zitten. Achteraf vertelde ze dat ik bijna groen zag van angst en dat ze bang was dat ik flauw zou vallen. Ze had uitgezocht hoe we er moesten komen. Trillend liep ik de straat in. We keken op de huisnummers. Het gebouw stond aan het eind van de straat. Ik bibberde toen we ervoor stonden.

'Oké.' Kim gaf me een kus. 'Ik sta hier weer om vijf uur. Ik ga lekker shoppen en als het later wordt bel je me maar.'

Ik keek haar ontzet aan en zei dat ik echt niet alleen naar binnen ging, maar ze gooide een kus op en liep door. Ik wilde haar achternarennen, maar ik bedacht toen dat we dan het hele eind voor niks waren gekomen. Ik haalde diep adem en ging naar binnen. Nog nooit was ik zo bang geweest, maar tegelijk gaf het me ook een goed gevoel dat

ik eindelijk de weg insloeg waar ik al zo lang van droom-
de. Ik kwam in een zaaltje, het zag er feestelijk uit. Op een
lange tafel stonden koffie en taart en andere lekkernijen.
Het was niet heel druk, ik zag ongeveer zeven jongens en
meiden. Sommigen waren iets ouder, anderen wat jonger
dan ik. Wat me opviel was dat de meesten met hun ouders
waren.

'Jij bent vast Joël.' Een vrouw stapte op me af. Ik gaf
haar een klamme hand. Ze nam me mee naar een tafel en
stelde me voor aan een meisje. Nadia heette ze. De vrouw
vertelde dat ik Joël was en dat ik op de ontmoetingsdag
was gekomen omdat ik me een meisje voelde. De ouders
van Nadia knikten begrijpend naar me. Ik kreeg een taart-
je voor mijn neus geschoven, dat ik echt niet door mijn
keel zou krijgen, en ik vroeg of zij juist een jongen wilde
zijn. Ze lachte en vertelde dat ze al lang genoeg een jongen
was geweest en hoe moeilijk dat was geweest. Vanaf haar
kleuterjaren was het eigenlijk al duidelijk dat ze een meis-
je was. Op de kleuterschool sprong het nog niet zo in het
oog. Ze wilde altijd een prinses zijn en ze haalde elke och-
tend een jurk uit de verkleedkist, maar veel meer kinderen
kwamen verkleed op school. Zij toevallig als prinses, maar
er waren ook meisjes die als ridder verkleed waren. Het
werd pas moeilijk toen ze groter werd. Ze wilde per se een
jurk aan, terwijl niemand meer verkleed naar school
kwam. Ze herinnerde zich nog de drama's die zich hadden
afgespeeld als ze met haar moeder kleren ging kopen. Ze
weigerde jongenskleren te passen. Op het laatst nam haar
moeder zelf kleren voor haar mee, maar ze schreeuwde dat
ze ze niet aantrok. Nadia vertelde dat ze heel vaak hu-

meurig en onredelijk was geweest, omdat ze zich zo verdrietig voelde. Ze haatte zichzelf als ze in de spiegel keek. Waarom had ze het verkeerde lichaam? Ze smeet met deuren en soms had ze zomaar een woedeaanval om niets. Ze kon zich niet concentreren en moest een klas overdoen. Toen ze ook onhoudbaar werd op school heeft haar juf haar naar een psycholoog doorverwezen. Het was een vrouw. Ze vroeg haar van alles en na een aantal gesprekken kwam de diagnose. Ze was een genderkind. Daarna ging het allemaal beter, omdat haar ouders het toen eindelijk accepteerden. Voor haar vader was het nog het moeilijkst omdat hij geen zoon meer had maar een dochter, maar hij moest wel. De psycholoog had haar ouders uitgelegd dat het geen onwil of recalcitrant gedrag van haar was. Dat bij genderkinderen de hersenen zich naar het gewenste geslacht ontwikkelen in plaats van naar het biologische geslacht.

Vanaf dat moment mocht ze zich gedragen en kleden als een meisje. En toen hebben ze met elkaar een nieuwe naam voor haar bedacht. 'Twee jaar geleden mocht ik hormonen slikken,' zegt ze. 'Mooi, hè? Mijn borsten zijn van mezelf. Door die hormonen had ik gelukkig geen baardgroei. Mijn piemel groeide ook niet meer en ik kreeg geen haren op mijn benen.'

Ik dacht aan mezelf. Intussen moest ik me elke week scheren en ik haatte het. Wat had ik dat ook graag gewild. Kon het nog wel? Was ik niet te laat?

'Over anderhalf jaar word ik geopereerd,' zei ze stralend. 'En jij? Hoe is het bij jou gegaan?'

'Bij mij is alles helemaal omgekeerd,' zei ik. En ik vertelde hoe mijn ouders en mijn klasgenoten hadden gereageerd. Terwijl ik met haar zat te praten, viel mijn oog op een jongen die aan het eind van de tafel zat. Hij was wat ouder dan ik en zo te zien was hij ook alleen. Hij lachte naar me.

'Dat is Dion,' zei ze. 'Leuk is hij, hè?'

Ik knikte naar hem. Hij zag er inderdaad leuk uit, met die zwarte krullen en kuiltjes in zijn wangen. Ik stond op en schonk voor mezelf koffie in en toen kwam hij naar me toe.

'Ik hoorde dat jij je een meisje voelt,' zei hij.

Ik knikte.

'Voor mijn operaties was ik ook een meisje,' zei hij. 'Maar ik was niet zo mooi. Jij zult wel een heel mooi meisje worden.'

Ik lachte verlegen, maar de verlegenheid was snel over. Dion had een soort losheid waardoor ik me meteen op mijn gemak voelde. Hij zei dat hij zin had in een sigaret en we liepen de tuin in. Bij een boom bleef hij staan.

'Jij wordt een heel mooi meisje,' zei hij weer. 'Het kan niet anders, want dat ben je al.' Het grappige was dat het niet slijmerig klonk. Hij bedoelde er waarschijnlijk niks mee, het voelde heel natuurlijk uit zijn mond. Hij hield me zijn pakje sigaretten voor. Behalve een paar hijsjes vroeger bij het water had ik nooit gerookt, maar ik nam een sigaret en stak hem aan. Ik voelde me draaierig bij elke trek. Gelukkig hoefde ik hem niet helemaal op te roken, want we werden binnen geroepen. Er werd een film vertoond over genderkinderen.

Lieve Luna,

De ontmoetingsdag had me totaal veranderd. Al die jaren had ik geworsteld met mijn geheim en me zoveel mogelijk aangepast. Ik was kwaad op mezelf geweest en had me schuldig gevoeld ten opzichte van mijn ouders, omdat ik niet de zoon kon zijn die ze verwachtten. Ik had gedacht dat het allemaal aan mij lag, maar nu wist ik dat ik er niets aan kon doen. Ik was geboren in een jongenslichaam met de hersenen van een meisje. Mijn ouders moesten bedenken dat hun God mij had gemaakt. Ik had er een vriendin en een vriend aan overgehouden. Dion en Nadia sms'ten regelmatig en ze mailden naar Kims e-mailadres. Dion had het niet makkelijk. Een paar maanden daarvoor was hij geopereerd en hij zat in een enorme dip, dat had de psycholoog al voorspeld. Hij moest zichzelf nog leren kennen met zijn nieuwe lichaam. Hij had zijn hele leven een probleem gehad, net als alle genderkinderen, en ineens bestond dat probleem niet meer. Alle zorg die hij altijd had gehad was voorbij. Hij viel in een gat. Het was zo fijn om hem te kennen. Bij hem, Kim en Nadia kon ik zijn wie ik echt was, mezelf. Dion had me precies verteld waar ik in het VU-ziekenhuis in Amsterdam moest zijn voor hormonen. Over een jaar was ik achttien, maar ik wilde geen verstoppertje meer spelen. Dion drong daar ook op aan en Kim was het er helemaal mee eens. Mijn ouders hadden het recht om dat te weten. Misschien kon ik ze overtuigen en gaven ze toestemming om nu al met de behandeling te beginnen. Ik voelde dat ik eindelijk uit mijn schulp moest kruipen. Het was voor nog veel meer genderkinderen op de vereniging moeilijk geweest en toch hadden ze het allemaal gedaan. Ik

kon niet langer tegen die grote leugen. Ze hadden het recht
om van me te houden om wie ik was. Kim had al een aan-
tal keren aangeboden met me mee te gaan, maar het leek
me beter het zelf te doen. Misschien werden ze kwaad op
haar, omdat ze hen had voorgelogen. Gelukkig voelde ik
me de laatste tijd door de ontmoeting veel beter. Het was
zo heerlijk dat ik niet langer meer dacht dat ik de enige was
in een verkeerd lichaam. Dion vertelde me dat ik nog een
moeilijke weg had te gaan, want de operatie was niet het
eindpunt. Elk jaar moest je terugkomen in het ziekenhuis
om je bloed en botten te laten controleren. Je bleef altijd
een patiënt. En we zouden nooit kinderen kunnen verwek-
ken. Ook voelde hij zich regelmatig gediscrimineerd. Dan
kreeg hij smerige opmerkingen naar zijn hoofd geslingerd.
En Nadia vertelde dat een vriendin van haar had gezegd
dat je toch wel kon zien dat ze een jongen was, aan haar
jukbeenderen. Misschien was het helemaal niet gemeen be-
doeld, maar ze was wel in tranen. Maar dat waren proble-
men voor later, vond ik. Voorlopig verheugde ik me erop
dat ik eindelijk mezelf zou worden. En wat Kim zei is ook
waar, iedereen reageert natuurlijk weer anders op zo'n
operatie. Ze was een enorme steun voor me. Soms als ik bij
haar was, schoor ze mijn benen en dan trok ik een mini-
rokje van haar aan. Ik hoefde nergens bang voor te zijn,
Kims moeder wist het en ze begreep me. Laatst had ze zelfs
een artikel over genderkinderen voor me uitgeknipt. Alleen
voor Kims broer hield ik het geheim. Kim zei dat die loser
er niks van zou snappen, maar haar moeder wist zeker dat
hij er uiteindelijk wel mee kon omgaan, als hij eenmaal aan
het idee gewend was.

Ik had definitief besloten het mijn ouders te vertellen. Ik wachtte alleen het juiste moment af. Toen ik na twee maanden nog niks had verteld, sprak Dion me door de telefoon streng toe. Er zou nooit een juist moment komen. Ik moest het gewoon doen. Even overwoog ik nog te wachten tot de dag dat ik mijn diploma had gehaald, dan waren ze in een superhumeur en apetrots. Maar Kim vond het afschuwelijk. Wilde ik echt nog een halfjaar doorgaan met leugens?

Ik had het in mijn hoofd al honderd keer voor me gezien. Ze zouden heel erg schrikken. Mijn moeder moest vast huilen, het kon ook dat ze boos werden, maar ik kende mijn ouders, dat ging over en dan kon ik thuis ook met Dion en Nadia mailen. Ik kon over de Stichting Transvisie vertellen en binnenkort was er weer een ontmoetingsdag. Stel je voor dat ik daar samen met mijn moeder heen kon.

Ik zwoer Kim dat ik het dit weekend ging vertellen. Mijn zus logeerde bij een vriendin. Het leek me beter dat zij er niet bij was. De hele dag was ik al gestrest. 's Avonds voor de broodmaaltijd wilde ik het zeggen. Op zaterdag aten we 's avonds altijd brood. Ik liep onrustig door het huis en was kotsmisselijk. Ik had het gevoel dat ik elk moment moest overgeven. Ik schrok van mijn eigen hoofd toen ik in de spiegel keek, ik zag heel bleek en alles trilde aan me. Er was geen uitweg meer, vanavond moest het gebeuren. Als ik het maar kon zeggen, als er maar geluid uit mijn keel kwam.

Kim stuurde me een sms. Zet 'm op, ik denk aan je. Liefs.

Dion belde nog en Nadia sms'te dat ze voor me zou duimen.

Ik zat al in de kamer toen ik de bestelauto van mijn vader het pad op hoorde rijden. Ik kreeg even geen lucht meer. Mijn moeder had thee gezet. Dat deed ze altijd op zaterdagavond, dan was de week voorbij en namen we thee met cake.

Ik had duizend keer gerepeteerd hoe ik zou beginnen, ik zou wachten tot de cake op ons schoteltje lag, maar ik hield het niet meer uit.

'Ik moet jullie iets vertellen,' zei ik met gesmoorde stem.

'Ada!' riep mijn vader. 'Onze jongen wil iets vertellen.'

'Ach.' Mijn moeder ging zitten. 'Je was de hele dag al zo witjes. Heeft ze het uitgemaakt?'

'Nee, mam.' Mijn stem sloeg over. Ik kon mijn mond bijna niet open krijgen, zo verlamd waren mijn kaken. Niks over Kim zeggen, schoot het door mijn hoofd.

Ik wilde uitleggen hoe het allemaal was gegaan, vanaf dat ik een klein jongetje was, en hoe moeilijk en verdrietig het was, maar ik gooide het er in één keer uit. 'Ik voel me geen jongen, ik heb alleen een jongenslichaam, maar ik voel me een meisje.'

'Nee!' riep mijn moeder en ze sloeg haar handen voor haar gezicht.

'Ik wil er niets over horen,' zei mijn vader. 'Begrijp me goed.'

Vreemd genoeg voelde ik me ineens niet bang meer. Ik had een kracht in me die ik nooit eerder had gehad. Ik moest voor mezelf opkomen.

'Als ik achttien ben, wil ik hormonen slikken en daarna wil ik me laten opereren.'

'Kind, ik dacht dat het over was,' verzuchtte mijn moeder. 'En we hebben je nog wel Joël genoemd: God is goed.'

Mijn vader zag grauw. Hij trilde, ik zag de woede in zijn ogen. 'De duivel is in je getreden!' riep hij. 'Je bent mijn zoon niet meer. Ik wil je niet meer kennen.'

Ik begon te huilen. 'Ik kan er niks aan doen... God heeft een fout gemaakt.'

Mijn vader sprong op en gaf me een klap in mijn gezicht. 'Eruit!'

Mijn moeder begon hardop te bidden. 'Here Jezus, wat hebben we fout gedaan dat we zo worden gestraft?'

'Eruit!' riep mijn vader weer. 'Ons huis uit, we willen je nooit meer zien.'

Ik rende de trap op en griste wat spullen bij elkaar. Ik hoopte dat mijn moeder boven zou komen en me in haar armen zou sluiten, maar ze kwam niet. Ik liep de trap af, ging het huis uit en stapte op de fiets. Elke meter die ik verder van huis reed, gaf me het gevoel dat ik alles achterliet, alleen mezelf nam ik mee.

Eva legt de brieven weg. Ze steunt met haar hoofd in haar handen en zucht diep. Wat een tragisch verhaal. Wil ze wel verder lezen? Maar ze moet weten hoe het afloopt en ze pakt de brieven weer op.

Lieve Luna,
Kim vertelde later dat ik totaal in shock was toen ik voor haar deur stond. Ik zag krijtwit, mijn ogen stonden flets en ik kon niet eens praten. Ze heeft me mee naar binnen genomen, een cognacje voor me ingeschonken en me in een warm bad gezet. Ik weet niet wat er zou zijn gebeurd als ik

Kim niet had gehad. Ik herinnerde me niets van de achttien kilometer die ik had afgelegd. Na een halfuur kwam ik bij en kon ik haar vertellen hoe het was gegaan. Ze moet woest op mijn ouders zijn geweest, toch bleef ze rustig, en dat met haar temperament. Die avond drong het heel langzaam tot me door hoe ernstig het was. Mijn vader had me de deur uit gezet, ik had geen thuis meer.

Kims moeder had tranen in haar ogen toen Kim vertelde wat zich bij ons thuis had afgespeeld. Ze stelde me gerust dat het wel goed kwam, als ik mijn ouders maar even de tijd gaf om het te verwerken. Ik mocht zolang bij hen logeren. Ik dacht dat ik op de logeerkamer moest slapen, maar Kim wilde niet dat ik die nacht alleen was. Ze vond dat we makkelijk voor één nacht met z'n tweetjes in haar bed konden. 'Twee vriendinnen,' zei ze en ze zocht een tule nachtpon met kantjes uit haar moeders kast en gaf hem aan me. Maar ik haatte mezelf, net als vroeger. Doordat ik me een meisje voelde, had ik mijn ouders verloren. Uit woede trok ik hem niet aan. In bed sloeg Kim een arm om me heen. Ze legde mijn hoofd op haar borst en beloofde dat het allemaal goed zou komen. Maar daar was ik niet zo zeker van. Kims moeder had mijn ouders gebeld om te vertellen dat ze zich geen zorgen hoefden te maken omdat ik veilig bij hen thuis was. Maar ik kreeg niet te horen wat ze hadden gezegd. Toen Kim er de volgende ochtend bij het ontbijt naar vroeg zei Kims moeder alleen dat ik mijn ouders de tijd moest geven.

Elke dag hoopte ik iets van mijn ouders te horen. Er waren zoveel twijfels. Moest ik niet toch proberen verder te gaan met mijn jongenslichaam? Maar Nadia en Dion zeiden allebei dat ik dat niet kon. Ik was geen jongen, ik zou het nooit volhouden. Ik werd gek van het gepieker en wierp me op mijn schoolonderzoeken.

Toen ik na twee weken nog niets van mijn ouders had gehoord, vond Kim dat ik zelf contact op moest nemen. Geen moeilijke gesprekken, gewoon een luchtig praatje. Haar moeder leek het beter als ik langsging.

Die middag reed ik naar ons dorp. Het voelde ineens weer zo vertrouwd. Ik merkte dat ik best naar mijn ouders verlangde, vooral mijn vader miste ik. Onderweg bedacht ik nog om bloemen voor mijn moeder te kopen, maar het kon ook averechts werken, dus deed ik het maar niet. Toen ik het dorp in fietste, zag ik de bestelbus van mijn vader aankomen.

'Pap!' Ik bleef op de weg staan en zwaaide. Het was een smalle weg, hij moest me zien. Hij keek dwars door me heen en reed door. Precies op dat moment belde Dion. Hij kreeg opeens een heel onrustig gevoel over mij en vroeg of er iets was. Hij bleef de hele weg aan de telefoon, tot ik veilig bij Kims huis was.

Kims moeder is een tijd later naar mijn ouders gegaan om met hen te praten. Ik zag het aan haar gezicht toen ze terugkwam. Het was niet gelukt.

Kim vroeg wanneer ik weer thuis mocht komen. 'Als ik tevreden was met mijn lichaam dat God me had gegeven,' hadden ze tegen Kims moeder gezegd. Ik was zo wanhopig. Snapten ze dan niet dat ik niets liever wilde?

Er waren maanden voorbijgegaan en ik woonde nog steeds bij Kim. Het enige wat ik deed was keihard werken voor school. Ik wilde mijn eindexamen halen, dan zouden *mijn ouders trots op me zijn. Terwijl Kim de kantjes ervan afliep en uitging, zat ik maar te blokken. Ik zag de hele tijd voor me hoe ik mijn ouders zou bellen als ik was geslaagd. Mijn vader had altijd gezegd dat hij trots was dat zijn zoon professor werd. Zelf kon hij helemaal niet leren. Niemand in onze familie ging studeren, mijn zus ook niet. Met moeite had ze zich door de eerste jaren van het vmbo geworsteld, maar nog was ze er zonder diploma af gekomen. Ik deed het voor mijn vader. Het had ook een voordeel dat ik zo hard studeerde, daardoor piekerde ik minder.*

De dag van de uitslag was aangebroken. Kim had twee herexamens en ik was cum laude geslaagd. Voor Nederlands had ik zelfs een tien, maar daar was ik altijd goed in geweest. Ik wachtte tot na het eten, dan zaten mijn ouders aan de koffie, de beste tijd. Ik belde ze toen ik alleen in Kims kamer was. Met trillende vingers toetste ik ons nummer in. Mijn vader nam op. Hierop had ik gehoopt. 'Pap,' zei ik, 'pap, ik ben cum laude geslaagd.' Even bleef het stil en toen werd er opgehangen. Alle grond leek onder mijn voeten te verdwijnen. Ik wist niet meer waarvoor ik nog leefde. Kim kon me er niet meer uit praten en Dion ook niet. Lyda, van de Stichting Transvisie, vond dat het zo niet langer kon. Het was veel te zwaar. Ik had hulp nodig. Een paar dagen later zat ik in de spreekkamer van een psycholoog. Ze keek me begripvol aan en vroeg wat ze voor me kon betekenen.

Ik begon te huilen, ik moest wat zeggen, maar kon alleen maar huilen. Ze had een uur voor me uitgetrokken.

Het hele uur heb ik gehuild.

Op aanraden van mijn psycholoog schreef ik een lange brief naar mijn ouders. Ik legde nogmaals uit hoeveel ik van hen hield en dat ik wist dat het heel moeilijk en verdrietig voor hen was, maar dat ik geen keus had. Maar een week later kwam de brief ongeopend retour. Daarna heb ik nog een aantal keren gebeld, maar er werd telkens opgehangen. Het werd steeds duidelijker dat ik verder moest zonder een thuis en de liefde en begrip van mijn ouders. Ook mijn zus, die ik bij haar werk had opgewacht, zei dat ze zich doodschaamde voor me en dat ze niets meer met me te maken wilde hebben.

Gelukkig mocht ik nog steeds bij Kim wonen. Ik zocht een kamer, Kim ook, want na de zomer gingen we studeren. Ik in Utrecht en Kim ging in Amsterdam naar het conservatorium. Ik zou voorlopig nog wel onder behandeling van de psycholoog blijven. Ze zei dat mijn zelfvertrouwen was geschaad, omdat mijn ouders nooit compromissen hadden gesloten. Andere genderkinderen die zich een meisje voelden, mochten bijvoorbeeld van hun ouders na schooltijd een uurtje in een jurk lopen en ze kregen ook meisjesspeelgoed. Ik was totaal niet begrepen. Daardoor moest ik leren op mijn gevoel te vertrouwen.

Na een aantal weken kwam ik voor het eerst bij de endocrinoloog terecht. Ik had Dion gevraagd of hij met me mee wilde, maar hij zat in het buitenland. Aan Nadia wilde ik het niet vragen, omdat ze net was geopereerd. Ze was zo trots op haar lichaam. Toen ze hoorde dat Dion niet kon, ging ze toch mee naar de endocrinoloog. Ik kreeg hormonen die ik twee jaar moest slikken, en twee jaar later zouden de operaties volgen. Ik voelde me slap van de hormo-

nen, daar had Nadia me al voor gewaarschuwd, maar ze zei ook dat het niet lang zou duren voordat ik resultaat zou zien. En dat was zo. Ik had net een kamer gevonden in Utrecht toen mijn borsten begonnen te groeien. Die dag was de grote ommekeer in mijn leven. Ik kleedde me als een vrouw en schreef me ook in als een vrouw. Ik droeg leggings, strakke spijkerbroeken en kocht zelfs een string. Ik had alleen nog een asexy step-in, om de bobbel plat te drukken.

Hé, het is dus iemand in Utrecht, denkt Eva. Opgewonden leest ze verder.

Het maakte me niet uit dat ik me slap voelde door de hormonen. Ik was een vrouw. Iedereen benaderde me als een vrouw. Jongens keken naar me en probeerden me te versieren. Hier had ik zo vaak van gedroomd en nu was het eindelijk werkelijkheid geworden. Ik had sjans van mannen! Een enkele keer vond ik het heel verleidelijk en kreeg ik zelfs vlinders in mijn buik. Toch ging ik er niet op in, ik moest wachten tot ik een vrouwenlichaam had. Ik vroeg me af of ik het dan meteen aan een jongen zou vertellen, nog voordat we echt verkering kregen. Als het echt serieus was, dan had hij er recht op het te weten.

Ondanks de pijn en het verdriet over mijn ouders werd ik toch elke ochtend blij wakker. Weer een nieuwe dag waarop ik mocht zijn wie ik was. En weer een stapje dichter bij de operaties. Ik had het gevoel dat ik alles moest inhalen. 's Avonds had ik een baantje als postsorteerder. Zodra het geld op mijn rekening stond, kocht ik kleren, make-up en sieraden. Vaak ging ik alleen maar een winkel in om kleding te passen. Nu mocht ik op de vrouwenafdeling kijken. Na al die jaren dat ik me verstopt had, ging ik helemaal los.

Toen Kim bij me logeerde lag ze helemaal dubbel van het lachen. 'Een echte meidenkamer!' riep ze.

Ze was heel lief voor me, maar met Nadia was het toch anders, omdat ze hetzelfde was. Ik hoefde maar iets te zeggen en ze snapte me. Steeds vaker trok ik in de weekeinden met haar op. Dan logeerde ik bij haar in Amsterdam en gingen we samen dansen. We liepen dan arm in arm over straat, als twee vriendinnen. Een keer begon ik zomaar te huilen, omdat ik me zo gelukkig voelde.

Nadia zei dat ik me nog veel gelukkiger ging voelen als ik geopereerd was.

Als het zover was wilde ik meteen naar de sauna en naar het naaktstrand. Het idee alleen al gaf me een kick. Ik had mijn lichaam altijd angstvallig verstopt, maar dan mocht iedereen het zien. Nadia had me haar schaamlippen laten zien, zo echt! Vlak na de operatie had ze gehuild. Het leken helemaal geen schaamlippen, zo opgezet en blauw zagen ze eruit, maar nu was ze trots.

Twee jongens floten ons na toen we die avond samen uitgingen. We knepen in elkaars hand. We konden er af en toe zo'n lol om hebben dat ze van niks wisten. Nadia leefde zich helemaal uit op de dansvloer. Er kwam een jongen naar me toe die met me wilde dansen. Het was een lekker ding. Nadia danste ook met een jongen. Ik ging erop in en dat was voor het eerst. We hadden ook zo'n heerlijke avond. Ik smolt voor hem en ineens zoenden we. Na die *kus met Rutger als juf Annabel was hij de eerste jongen die ik zoende. Hij was iets kleiner dan ik. Ik keek dromerig over zijn schouder de zaal in. Tot ik zíjn ogen zag. Hij stond bij de bar. Ik herkende hem meteen. Die blik! Hoe hij naar me keek! De jongen vroeg of ik iets wilde drinken. Ik knikte afwezig en keek naar Rutger. Ik moest weg! Ik moest maken dat ik wegkwam. Het zweet brak me uit en in paniek baande ik me een weg door de dansende menigte. Ik rende de discotheek uit. Weg! dacht ik. Zodra ik buiten was zette ik het op een lopen. Even bleef ik staan en toen hoorde ik voetstappen achter me. Hij was niet alleen! Ze kwamen me achterna! Terwijl ik rende, zag ik mezelf weer bij het kanaal. Het was jaren geleden, maar het stond nog op mijn netvlies gebrand hoe hij me had verraden en hoe ze me daarna hadden vernederd. Ik rende de hoek om, een steeg in. Maar ik had hakken aan en ik kon lang zo hard niet als zij. Ik overwoog ergens aan te bellen, maar ik rende toch door. Ze kwamen steeds dichterbij en ineens werd ik ruw bij mijn arm gegrepen. Ik keek Rutger angstig aan. Hij spuugde midden in mijn gezicht. 'Ik zag het wel, een jongen belazeren. Net doen alsof je een wijf bent.' Er stonden vrienden naast hem.*

Ik liet me niet weer vernederen. 'Ik ben een vrouw!' zei ik.

'Jij bent gewoon fake, een nepwijf dat jongens belazert, daar ben je goed in. Je hebt een pik.'

Ik werd heel bang, ik zag de haat in zijn ogen. Zijn haat van vroeger. Na al die vernederingen die hij in ons dorp had moeten ondergaan, nam hij nu wraak op mij.

'Laat me met rust,' zei ik. 'We wonen niet meer in het

dorp. We zitten niet meer onder Robbies juk. Jij niet en ik niet.'

Maar hij werd alleen maar gefrustreerder. Ik kon het aan zijn ogen zien. Wat was hij verdomme van plan?

'*Trek zijn broek van zijn reet, mannen,' zei hij, 'dan zullen we zien of jij een wijf bent.'*

Ik schopte en ik sloeg. Ik was hartstikke sterk, ik moest altijd rekening met mijn kracht houden als ik met Kim stoeide. Maar wat kon ik beginnen tegen drie jongens? Ik werd tegen de muur gedrukt. Rutgers hand ging onder mijn rok. Ik moest janken. 'Blijf af!' smeekte ik. Maar nog geen minuut later lag alles op straat, mijn rok, mijn stepin. Ik stond in mijn blote pik.

Ze begonnen me uit te lachen en gooiden me ruw op de grond. Ze trapten en sloegen en beukten als wilden op me in. Ik hield mijn hand voor mijn pik. Ze mochten me niet zien, ik was geen man, ik was een vrouw, ik had borsten...

Misschien hadden ze me wel doodgetrapt als er geen hulp was gekomen.

'*Hé!' hoorde ik iemand roepen. Nadia kwam aangerend. 'Klootzakken!'*

Ze renden weg.

'*Ik bel de politie!' riep ze hen na.*

'*Nee,' jankte ik. 'Niet bellen. Ze mogen me niet zo zien, niemand mag me zo zien...'*

Eva is er stil van. Wat een afschuwelijk verhaal. Wat een klootzak is die Rutger. Ze heeft er nooit bij stilgestaan hoe moeilijk het is als je in het verkeerde lichaam bent geboren. Ze kan totaal niet begrijpen wat de relatie is tussen Luna en Joël. En die Rutger, en Kim en Nadia, daar heeft ze Luna ook nooit over gehoord. Het blijft een raadsel, een groot raadsel. Ze kan er helemaal niks mee. Ze bindt de brieven bij elkaar. Ze weet nog niet wat ze ermee doet, maar ze geeft ze niet aan Luna's ouders. Het is veel te schokkend voor ze.

Er wordt gebeld. Eva kijkt naar buiten. Shit! De camera-ploeg staat al voor de deur. Derek Ogilvie is er ook al. Ze rent naar beneden.

De camera is op haar gericht als ze opendoet, ze voelt dat ze rood wordt. Als ze maar uit haar woorden kan komen als Derek haar iets vraagt.

De cameraploeg trekt nogal wat aandacht. Voorbijgan-gers blijven staan. Eva geeft Derek een hand. De geluids-man komt naar haar toe en vraagt of hij een microfoontje op mag spelden. Gelukkig komt Arthur er ook aan. Terwijl de regisseur haar uitlegt wat er gaat gebeuren deelt Derek Ogilvie handtekeningen uit. Het wordt steeds drukker in de straat en na een paar minuten staat er al een grote kring mensen om hen heen. De regisseur vraagt of ze een eindje naar achteren willen gaan. Twee mannen van de crew zet-ten de straat af. De opnameleider telt af. *Three, two, one.* Op dat moment is de camera op Derek gericht. Hij loopt voor het huis heen en weer. Iedereen is stil. Hij loopt en blijft staan, precies op de plek waar ze Luna hebben gevonden.

'Hier is het gebeurd,' zegt hij overtuigd.

Eva knikt onder de indruk. Ze snapt er niks van. Hoe is het mogelijk dat hij dat voelt? Hij blijft op de plek staan en beweegt met zijn handen. 'Ik voel geen pijn, nee, ze heeft niet geleden.'

Eva slaakt een zucht van verlichting. Daar is ze zo vaak bang voor geweest, maar Luna heeft dus niet geleden. Dit moet ze zaterdag tegen Luna's moeder vertellen. Luna's ouders hebben geen idee dat ze Derek heeft ingeschakeld. Eva wilde niet dat ze weten dat ze twijfelt aan het ongeluk. Het zou afschuwelijk voor hen zijn.

'Ik zou graag het raam zien waar ze uit is gevallen,' zegt Derek. Eva wijst naar boven. 'We mogen naar binnen.'

De hele cameraploeg gaat het huis in. Fleur komt net uit haar kamer. Als ze de camera ziet schiet ze snel naar binnen. Ze wil absoluut niet op de tv komen.

Derek Ogilvie loopt Luna's kamer rond. Bij het raam blijft hij staan. 'Het is niet makkelijk,' zegt hij terwijl hij heel geconcentreerd is. 'Ik voel veel andere energie. Dat komt omdat de ruimte alweer is bewoond, maar daar moet ik doorheen.'

Hij loopt door de kamer. Wat gaat hij zeggen? Eva kan de spanning bijna niet aan. Arthur strijkt met zijn hand over haar rug. Midden in de kamer staat Derek stil. 'Hier op deze plek voel ik ruzie. Ja, hier heeft zich een heftige woordenwisseling afgespeeld.' Hij loopt naar het raam. 'Op deze plek is het erger. Strijd... Ik voel strijd...' Eva houdt haar adem in. Wat is er gebeurd?

'Hier is strijd gevoerd,' zegt Derek. 'Ze was absoluut niet alleen.'

Eva geeft een gil van schrik. Arthur slaat een arm om haar heen en trekt haar tegen zich aan, maar dat merkt ze niet eens. Met ingehouden adem kijkt ze naar Derek.

'Er is hier iets gebeurd,' zegt Derek. 'Ik voel teleurstelling, verdriet, woede. Nogmaals, ze was niet alleen.'

Dus toch… Eva wil iets vragen, maar het lukt niet, ze is helemaal verkrampt.

'Kunt u misschien iets meer vertellen over wie er bij haar was?' vraagt Arthur.

'Ik voel de energie van een vrouw,' zegt Derek. 'Nee, niet van een vrouw, van een man…'

'We moeten gaan,' zegt Arthur. Derek Ogilvie is al lang weg en ze staan nog steeds in Yvets kamer.

'Dus toch…' herhaalt Eva steeds. 'Ik had het goed…'

'Kom mee, Eef. Je moet hier weg.' Arthur pakt haar hand en trekt haar voorzichtig mee.

Als in een shock loopt Eva naar haar kamer. 'Ik wist het,' blijft ze maar zeggen. 'Die engerd heeft haar vermoord.' Ze kijkt Arthur aan. 'Ik blijf hier niet. Twee keer heeft hij mij proberen te doden. Ik ben niet zo gek om te wachten tot het hem lukt. Ik geef hem aan en dan ga ik een tijdje naar mijn ouders.'

16

Voor de derde keer voelt Eva of de deur van haar kamer echt op slot zit. Arthur is eten bij de toko halen. Hij vond dat ze eerst iets moesten eten voordat ze naar het politiebureau gaan. Eva betwijfelt of ze een hap door haar keel krijgt. De stresshormonen gieren door haar lichaam. Het was dus geen ongeluk. Eva voelt zich ziek bij de gedachte aan wat haar lieve vriendin is overkomen. Wat zal ze bang zijn geweest. Die engerd van een Remco moet hebben gevoeld dat zij hem verdenkt, daarom is hij bang voor haar. Bang dat ze bewijs vindt en hem aangeeft. Daardoor moet ze uit de weg worden geruimd. Het idee alleen al dat ze tot twee keer toe oog in oog heeft gestaan met haar moordenaar...

De dag dat Luna zogenaamd was verongelukt hadden ze samen buiten de deur geluncht. Eva had 's middags nog een of ander saai college. Luna probeerde haar nog over te halen samen naar huis te gaan, maar Eva is toch naar college gegaan. Als ze niet zo afschuwelijk braaf was geweest, had Luna nu waarschijnlijk nog geleefd. Ze haat haar studie. Ze kijkt op de klok. Bij Nathalie is het nu ongeveer twaalf uur 's nachts. Zou ze nog op zijn? Ze moet het vertellen en zet haar skype aan.

'Eef!' roept Nathalie enthousiast. 'Jij wist dat wij nog aan het feesten waren. We hebben net gehoord dat Jim sideman mag zijn in een band in Disneyland. Voor drie dagen, Eef, en ik mag mee! Disneyland, je weet dat ik daar altijd al naartoe wilde. Ik mag overal gratis in. We krijgen daar een huisje. Eef, het is hier te gek! Het lijkt wel of ik droom en jij?'

'Ik droom niet bepaald,' zegt Eva. 'Het lijkt meer op een nachtmerrie. Derek Ogilvie is hier geweest.'

'O sorry, helemaal vergeten. Vertel.'

'Hij stond in Luna's kamer. En hij voelde strijd. Ze was niet alleen, Nat. Er was een man bij haar.'

'Gadver, Eef, ik word helemaal koud. Denk jij dat Remco die man was?'

'Wie anders? Remco heeft haar vlak ervoor gebeld. En waarom moest hij mij tot twee keer toe overvallen? Wat moest ik zo nodig horen van hem? Ik heb zo'n mazzel gehad.'

'Jezus, Eef, dat is wel even iets anders dan Mickey Mouse. Ik krijg opeens de zenuwen. Ik wil jou niet ook nog verliezen. Ben je alleen op je kamer?'

'Ja.'

'Heb je je deur wel op slot gedaan?'

'Tuurlijk.'

'Niet meer alleen blijven, ook niet op straat, tot hij vastzit. Laat Fleur bij je blijven, ik bel haar anders wel. Ook 's nachts. Ik vind het zo eng, Eef.'

'Arthur is bij me en ik heb besloten naar mijn ouders te gaan.'

'Daar kan hij je zo vinden. Kom hierheen. Hij volgt je niet naar L.A. En dan ben je er meteen uit, Eef. Dan vergeet je even alle ellende. We zijn gisternacht op een feest geweest in Bel-Air. Je weet wel, waar al die rijke gasten met hun aangelijnde hondjes wonen. Ik mocht foto's maken. Ik heb een superreportage gemaakt, je weet niet wat je ziet. Hier ga ik vet mee scoren, Eef. Leen geld van je ouders, en kom hierheen. Je gaat genieten. Die ene knappe vriend van Jim is single. Het is toch uit met Bart. Het is hier te gek!'

Nathalie begint weer van alles te vertellen, maar Eva onderbreekt haar. 'Ik ga niet naar L.A. Ik blijf hier.'

'Bij die engerd? Reken maar dat hij zijn kans afwacht.'

'Nathalie, hou op, je maakt me hartstikke bang. Shit! Ik hoor voetstappen op de gang.'

'Niet opendoen, hoor je me.'

'O, het is Arthur. Ik ben blij als jij er weer bent, Nat. Nog een weekje.'

'Dat weet ik nog niet,' zegt Nathalie. 'Het kan nog wel wat langer duren.'

Eva geeft haar vriendin een kus en zet de camera uit.

'Zo.' Arthur pakt twee borden uit de kast en zet de roti op tafel.

'Heb je de deur op slot gedaan?' vraagt Eva.

'Ik ben toch bij je.'

Eva loopt naar de deur. 'Ik weet niet hoe gek hij is. Ik ben blij als we naar de politie zijn geweest. Of zullen we nu meteen gaan?'

'Ik heb net roti gehaald.'

'Ik heb geen trek,' zegt Eva, die de lucht nauwelijks kan verdragen. 'Sorry, ik hoef niks.'

'Ik sta helemaal te shaken,' zegt Eva als ze met Arthur het politiebureau in gaat.

'Kan ik iets voor jullie doen?' vraagt de agent achter de balie.

'Ik wil iemand spreken over het dodelijk ongeluk van mijn vriendin Luna Aken. Ik denk dat het geen ongeluk was, dat weet ik eigenlijk wel zeker, want ik denk dat ik weet wie het heeft gedaan. Ik wil vragen of u het wilt onderzoeken.'

'Een momentje, dame. Eerst uw gegevens.'

Eva zucht geërgerd.

De man gaat achter de computer zitten en tikt haar gegevens in. Daarna moet ze Luna's gegevens geven en de exacte datum, tijd en plek van het ongeluk. Als hij eindelijk klaar is, loopt hij naar achteren.

'U mag die deur door gaan,' zegt hij als hij terugkomt.

Gelukkig, Eva was al bang dat ze haar zouden wegsturen. Een inspecteur zit achter een bureau. Hij gebaart dat ze mag plaatsnemen. 'U bent...'

'Eva,' zegt Eva. 'En dit is mijn vriend Arthur Hillen.' Bij de woorden 'mijn vriend' kijkt ze Arthur even aan.

Hij knikt.

'U komt voor het dodelijk ongeluk van mevrouw Aken,' zegt de inspecteur.

'Ja,' zegt Eva. 'Daarvoor ben ik hier, ik weet bijna zeker dat het geen ongeluk was. Ik geloofde er al meteen niet in. Intuïtie, zeg maar. Luna was mijn beste vriendin.' Van de stress ratelt ze maar door. Hoe ze Remco Buisman al meteen verdacht omdat hij had gelogen over het telefoontje. Dat hij al zo gefrustreerd deed en haar tot twee keer toe heeft overvallen. En dat ze uiteindelijk van Derek Ogilvie heeft gehoord dat Luna niet alleen was op het moment van het ongeluk.

'Als de heer Ogilvie dan ook de dader kan aanwijzen voor ons,' zegt de inspecteur honend. 'Maar goed, u zegt Remco Buisman?'

Eva knikt.

De inspecteur zoekt in zijn computer en leest wat er over het ongeluk bekend is. 'Sorry dame, maar de heer Buisman had een alibi, dat staat hier. Het onderzoek is afgerond.'

'Nee,' zegt Eva. 'Ik dacht ook dat hij een alibi had. We zijn er allemaal ingetrapt. Hij had zogenaamd een feestje in zijn studentenhuis, maar daar was hij niet op het moment van het ongeluk. Hij is voor die tijd weggegaan, dat hoorde ik van een getuige. Twee getuigen zelfs, u kunt ze zo bellen, ik heb hun nummer.'

'Luister,' zegt de inspecteur. 'Uw verhaal klopt ten dele. Buisman was inderdaad op een feest, dat heeft hij ons verteld. En ook dat hij daar is weggegaan.'

'Dus heeft hij geen alibi,' zegt Eva. 'Wat niemand weet is dat hij Luna vlak voor het ongeluk heeft gebeld. Toen is hij waarschijnlijk naar haar toe gereden en ging het mis. Het was uit, Luna had het uitgemaakt. Waarschijnlijk heeft Luna toen gezegd dat het nooit meer goed zou komen. Dat heeft hij niet aangekund en...'

'Nogmaals, de heer Buisman had een alibi,' herhaalt de inspecteur.

'Wat dan?' vraagt Eva. 'Het kan niet.'

'Dat mag ik u niet vertellen,' zegt de inspecteur.

Eva wordt wanhopig. 'Ik weet niet wat hij heeft gezegd, maar het is vast gelogen. Het moet wel, hij liegt over alles. Hij wil mij ook iets aandoen, ik zit hier heus niet zomaar, ik durf niet eens meer over straat.'

De inspecteur ziet dat ze trilt. 'Misschien kan ik het u beter zeggen, dan hebt u tenminste rust. U hoeft zich geen zorgen te maken over de heer Buisman. Hij is inderdaad voor het eten vertrokken. Hij reed door rood en een van onze mannen heeft hem aangehouden. Hij heeft zich toen zeer grof tegen de dienstdoende agent gedragen. Zeer onbeschoft, mag ik wel zeggen. Dat is hem duur komen te staan, want toen moest hij mee naar het bureau. Ik wil maar zeggen, op de tijd van het ongeluk zat hij hier.'

Terwijl Eva met Nathalie skypet, staart ze naar het beeldscherm van haar laptop. Nathalie zit daar, met een gloednieuwe jurk aan die ze in L.A. heeft gekocht, maar Eva ziet het niet eens.

'Eef, je moet het nu loslaten. De dood van Luna, het ongeluk, Remco, alles! Waarom zeg je niks?' vraagt Nathalie.

'Eh... sorry, wat?'

'Ik snap dat je geschokt bent,' zegt Nathalie, 'maar Remco is dus onschuldig. Het was een ongeluk, dat weten we nu zeker. Wees blij! Het zou zo eng zijn geweest als Remco...'

'Natuurlijk ben ik daar blij om,' zegt Eva kribbig. 'Maar ik begrijp mezelf niet meer. Wat is er met me gebeurd?'

'Heel eenvoudig,' zegt Nathalie. 'Je hebt jezelf gek gemaakt. Dat komt door je verdriet, Eef.'

'Ik heb alles verkeerd geïnterpreteerd,' gaat Eva verder. 'Bijvoorbeeld die nacht dat Remco met Luna's mobiel in zijn hand stond. Waarom had hij dat ding gepikt? Ik heb nog zoveel vragen.'

'Hou op met die vragen,' zegt Nathalie. 'Daardoor ben je half gek geworden. Je wilt op alles een antwoord hebben, zo maak je jezelf gek. Je ziet er trouwens niet uit. Slaap je wel?'

'Ik had beter naar Bart moeten luisteren,' zegt Eva.

'O, je wilt hem terug?'

'Nee,' zegt Eva beslist. Dat weet ze zeker. Haar hele leven staat op losse schroeven, maar één ding weet ze zeker: ze wil niet verder met Bart. Een paar dagen geleden heeft ze hem gesproken. Hij zag er depri uit. Ze dacht dat het kwam omdat het uit was, dat was ook zo, maar hij zat er ook mee dat hij niet had gewonnen. Het gaat altijd over zijn carrière, zelfs nu, dacht ze. Hij wil volgend jaar weer meedoen. Moest ze daarvoor komen, om daarnaar te luisteren? Haar besluit staat vast. Ze heeft er ook met haar ouders over gepraat, en die begrepen ook heel goed dat ze het had uitgemaakt.

'Die Derek Ogilvie heeft je ook lekker opgefokt,' zegt Nathalie. 'Hij zag nog iemand. Ja hoor, die gast is net zo paranormaal begaafd als de papegaai van mijn opoe. Ik ben zo blij dat ik niet voor die onzin ben thuisgebleven. Wat had ik gebaald. Hoewel, ik moet weer bijna terug naar huis. We zijn zo happy. Ik weet niet hoe het verder moet met ons. We kunnen elkaar helemaal niet missen. Eef, als ik denk dat ik overmorgen weg moet...' Nathalie begint te snotteren.

'Ach, schat,' zegt Eva. 'Je bent smoorverliefd.'

Nathalie knikt. 'Jim ook.'

'Ik zie hem binnenkomen,' zegt Eva. 'Ga maar gauw naar hem toe. Ik zie je toch heel snel, dan kunnen we zo lang kletsen als we willen.'

'Lief van je,' zegt Nathalie.

'Ik ben wel heel blij dat je weer thuiskomt,' zegt Eva. 'Ik haal je op. En niet te veel huilen, nog even genieten.'

Als Eva haar camera uitzet, heeft ze een sms'je. *Vanavond samen eten? Liefs, Arthur.*

Sorry, laat mij maar even met rust. Liefs, sms't ze terug. Misschien is het niet zo aardig van haar, maar ze heeft even ruimte nodig. Als hij zo op haar gaat zitten, krijgt ze het benauwd.

Het wil nog niet helemaal tot haar doordringen dat Remco onschuldig is. Ze heeft de deur nog steeds op slot. Ze heeft er ook zo heilig in geloofd dat Remco iets met Luna's dood had te maken, vanaf de dag van de begrafenis. Hoe heeft ze zich zo kunnen vergissen? Als ze haar koffiekop wil pakken, gooit ze hem om. Dat gaat lekker zo. Haar broek is drijfnat. Waar is haar zwarte jeans eigenlijk? Die heeft ze al een tijd niet aangehad. Ze ziet hem onder een jasje hangen. Als ze hem aan wil trekken valt er iets uit. Shit! Luna's mobiel! Eva zakt in haar stoel neer. Ze heeft het zich dus allemaal verbeeld. Wat verschrikkelijk! Tegenover Remco schaamt ze zich ook dood. Ze is twee keer in paniek voor hem weggerend, alleen omdat hij haar iets wilde vertellen en zij zo zeker wist wat dat dan wel was. Hij denkt vast dat ze gestoord is en dat was ze dus ook. Luna heeft vlak voor haar ongeluk verteld dat ze lesbisch was, dat wilde hij natuurlijk zeggen. Ze zal het goed moeten maken met hem, anders kan ze niet verder. Ze moet het helemaal afsluiten, en daar hoort een gesprek met Remco bij. Ze toetst zijn nummer in.

'Nee, hè. Jij toch niet, hè?' zegt hij als hij opneemt.

'Remco, ik wil je spreken.'

'Geen behoefte meer aan,' snauwt Remco. 'Je hebt je zo achterlijk gedragen, laat maar verder.' Hij hangt op.

Eva belt terug.

'Ik heb geen zin in hysterisch wijvengedoe, oké?' zegt Remco geïrriteerd.

'Remco, luister, wil je alsjeblieft nog een keer naar me luisteren?'

'Ik ga naar Londen, ik heb geen tijd en zeker niet voor jou.'

'Dan wacht ik tot je weer terug bent.'

'Voorlopig blijf ik daar,' zegt hij. 'Ik heb hier niks meer te zoeken.'

'Een paar minuten heb je toch wel voor me?'

'Nou, ik kom wel naar de Vuurtoren.'

Hij heeft gelijk, denkt Eva als ze op haar fiets stapt. Het is ook belachelijk. Eerst vlucht ze voor hem en nu wil ze hem per se zien. Als ze voor het verkeerslicht staat krijgt ze een sms'je. Het is aan iedereen van de faculteit gericht. Ze ziet een foto van twee jongens en een meisje uit het tweede jaar die ze kent. *Wij kappen met onze studie en gaan over twee maanden op wereldreis. We zijn met z'n drieën. Wie gaat er mee? Als je interesse hebt, neem dan contact op met Siko.*

Als Eva doorrijdt denkt ze aan de plannen die Luna en zij hadden. Ze zouden ook op wereldreis gaan en hadden al helemaal uitgestippeld hoe en wat. Ze weet zeker dat ze de tijd van hun leven zouden hebben gehad. Luna wilde een jaar wegblijven. Dat kon Eva natuurlijk niet, zij had Bart. Drie maanden was het maximum, zei ze steeds en daar baalde Luna nog zo van.

En nu is het uit met Bart. Wat is alles toch betrekkelijk. Luna is er niet meer en ze heeft ook geen verkering meer.

Ze is bijna bij de Vuurtoren als Fleur belt. Eva gaat even langs de weg staan en neemt op.

'Hi!'

'Je moet me feliciteren. Ik mag naar Afrika!'

'Fleur, vet! Ik ben hartstikke blij voor je.'

'Ik trakteer vanavond.'

'Super!' zegt Eva. Ze is blij voor Fleur, ze wilde het zo graag. Ze kijkt de winkelstraat in en ziet een muziekwinkel. Ze koopt even snel een cd voor Fleur, ze weet precies welke.

Remco zit er al als Eva de Vuurtoren in komt. Ze voelt zich meteen weer bang als ze hem ziet. Ze heeft hem zo lang verdacht en nu moet ze de knop opeens omzetten. Remco is behoorlijk pissig, dat ziet ze wel.

'Sorry,' zegt ze als ze tegenover hem gaat zitten. 'Ik zeg het maar gelijk, ik heb behoorlijk raar tegen je gedaan. Ik was in de war, nogmaals sorry.'

'In de war?' zegt Remco. 'Je was helemaal crazy, je dacht dat ik je wilde vermoorden, dat hoorde ik gisteravond van

Bart. Ik stond daar gewoon in de lift, ik had een afspraak met een vriend. Jij dacht dat ik je had gevolgd, echt hysterisch. En nog belachelijker, je dacht ook dat ik Luna uit het raam heb geduwd. Dat is toch niet normaal, Eva. Je kent me toch?'

'Ik was helemaal gek,' geeft Eva toe. Ze merkt dat ze ervan schrikt als hij zijn stem verheft. 'Ik geef toe, ik zag dingen die er niet waren.'

Ze vindt het zo raar dat ze nu tegenover hem zit. In haar gedachten was hij veel enger en agressiever. 'Het komt omdat je hebt gelogen over dat laatste telefoontje,' legt Eva uit. 'Ik heb het je expres nog een keer gevraagd. Maar jij bleef maar zeggen dat je haar een week ervoor voor het laatst had gesproken. Waarom deed je daar zo geheimzinnig over?'

'O, dus zo is het begonnen,' zegt Remco. 'Ik wou er niet over praten, later pas, toen ik bij jou kwam. Ik zat er zo mee.' Ze ziet de pijn in zijn ogen. 'Ik voelde me schuldig, nog steeds trouwens.'

'Maar waarom dan? Wat is er gebeurd?'

'Die laatste keer vroeg ik of ze dacht dat het goed kwam. En toen zei ze dat ik haar uit mijn hoofd moest zetten, omdat ze lesbisch was. Ik werd gek. Ik had dus verkering gehad met een pot. Ik vond het een vernedering, ik werd zo kwaad op haar. Ik voelde me bedrogen. Ze was verliefd op een wijf. Ik heb haar voor van alles uitgemaakt. Ik kon gewoon niet meer stoppen en toen was ze helemaal in de war. Ze vroeg nog of ik die woorden wilde terugnemen, maar ik, klootzak die ik ben, deed er nog een schepje bovenop. Kon ik weten dat ze het zich zo zou aantrekken? Ze moet in paniek zijn geraakt. Misschien zat ze er zelf ook wel mee dat ze een pot was en toen kwam daar nog mijn reactie bovenop. Ze zag waarschijnlijk geen andere uitweg dan... dan te springen.'

'Remco, nee!' zegt Eva. 'Dat moet je niet denken. Dat kan echt niet. Zo was Luna niet. Ze zal heus wel in de war zijn geweest, maar zelfmoord, nee. Dus dat wilde je me vertellen. Sorry dat ik zo heb gereageerd.'

'Ik snap wel dat je bang was,' zegt Remco. 'Ik was zo opgefokt als de pest. Maar dat kwam ook door jou, je deed zo crazy, en ik voelde me zo klote. Ik had er met niemand over gepraat, maar ik vond dat jij het moest weten. Over dit schuldgevoel kom ik dus nooit meer heen, dat snap je zeker wel.'

'Remco, je kwelt jezelf met deze gedachten. Je hebt er geen schuld aan, het was een ongeluk.'

'Denk je dat echt?'

'Ja, we moeten aanvaarden dat Luna uit het raam is gevallen. Ik zweer je, zelfmoord was niks voor Luna, daar ken ik haar te goed voor.'

'Dat was jij, hè. Die vrouw op wie ze verliefd was?'

'Nee,' zegt Eva. 'Ik wist wel dat ze verliefd op een vrouw was, maar dat was ik niet.'

'Snap je dat ik me genaaid voelde? Ik maar hopen dat het goed kwam. Ze heeft het al die tijd voor me geheimgehouden.'

'Dat is ook moeilijk,' zegt Eva. 'Voor mij heeft ze ook iets geheimgehouden. Yvet vond op haar kamer onder de vloer een stapel brieven. Heel intieme, aangrijpende brieven van ene Joël. Heeft Luna het met jou weleens over Joël gehad?'

'Joël?' zegt Remco verbaasd. 'Who the fuck is Joël?'

17

Het is alweer een paar dagen geleden dat Eva met Remco in de Vuurtoren zat. Langzaam dringt het tot haar door dat Luna's dood een ongeluk was. Het gesprek heeft haar goed gedaan, en Remco ook. Ze kreeg vanochtend nog een sms'je van hem uit Londen. *Dank je wel, ik ben van mijn schuldgevoel af. x Remco*

Ze hebben er die middag samen een streep onder gezet. Eerst wilde Remco zijn vertrek nog uitstellen om samen uit te zoeken wie Joël is. Maar ineens beseften ze dat ze het moeten laten rusten. Luna heeft het hun niet willen vertellen en dat moeten ze respecteren.

Eva kijkt naar de troep in haar kamer. Ze is net bezig met opruimen als Fleur binnenkomt.

'Je gelooft nooit wat ik heb gedaan,' zegt Fleur. 'Smit gebeld en de huur opgezegd.'

'Wat rigoureus!' Ineens beseft Eva wat het betekent. Fleur blijft een halfjaar weg. Als ze terugkomt zou het wel heel toevallig zijn als er hier in huis een kamer leegstaat. Ze zullen wel nooit meer met elkaar in één huis wonen. Het is zo definitief.

'Ik zal je missen,' zegt Fleur.

'Ik jou ook.' Eva merkt dat ze sinds Luna's dood heel veel moeite heeft met afscheid nemen.

'Ah, Eef.' Fleur slaat een arm om haar heen. 'We hebben een supertijd gehad, en ook samen iets heel verdrietigs meegemaakt, dat vergeten we nooit.'

Eva knikt. 'Wanneer ga je precies?'

'Ik ben net gebeld, ik kan al eerder weg. Ik heb besloten te gaan.'

'Hoeveel eerder? Deze maand nog?' Eva kijkt haar aan.

'Ik durf het bijna niet te zeggen,' zegt Fleur. 'Eind deze week. Daarom heb ik meteen mijn kamer opgezegd.'

Eva blijft met een leeg gevoel achter als Fleur weg is. Twee van de vier uit hun huis wonen er niet meer. Ze is blij dat ze Nathalie vanavond van Schiphol gaat halen. Ze kijkt op de klok. Als het goed is, hangt ze nu in de lucht. Nathalie zal ook wel schrikken als ze hoort dat Fleur eind deze week al vertrekt. Eva schenkt koffie voor zichzelf in als haar mobiel gaat.

'Nathalie?' roept ze verbaasd. 'Heb je vertraging?'

'Ja, zo kun je het ook noemen.'

'Ben je nog op de luchthaven?'

'Nee, eigenlijk niet. Ik zit in de auto naast Jim.'

'Heb je het vliegtuig gemist?'

'We waren wel op tijd, maar het was zo moeilijk, Eef. We hebben elkaar de hele nacht vastgehouden. Het was afschuwelijk, het voelde zo onnatuurlijk. Toen we vlak bij de luchthaven waren, zette Jim de auto stil. Hij smeekte me of ik alsjeblieft wilde blijven.'

'Nee!' roept Eva. 'Dat is toch alleen maar uitstel, Nat. Voor hoe lang?'

'Ik weet niet hoe lang. Ja eh, we willen bij elkaar blijven. En als het goed gaat, ja, dan blijf ik voor altijd. Ik ga straks meteen mijn huur opzeggen en dan vraag ik of mijn broer...'

'Nathalie...' Eva zit als versteend met haar mobiel tegen haar oor. Nathalie komt niet meer terug... Dat is het enige wat ze denkt.

'Ik had dit ook nooit gedacht, Eef, dat ik nog eens in Amerika zou gaan wonen. Maar ik wil zo graag bij Jim zijn. Hoe moet het anders? Hij heeft hier zijn werk en ik kan mijn opleiding hier ook afmaken. Toch? Eef, ben je er nog? We blijven gewoon vriendinnen, hoor. Ik kom elke drie maanden terug, voor mijn visum, en jij kunt ook hierheen komen, snap je?'

'Ja, eh... ik snap je heel goed,' stamelt Eva. 'Je volgt je hart, dat is goed.'

Als ze hebben opgehangen, zit Eva een uur lang verslagen op haar bed. Alles is veranderd, denkt ze. Ze is de enige van hun vieren die hier nog woont. Wil ze dat wel? Moet zij niet ook opnieuw beginnen? Ze weet het niet meer, het duizelt haar. Het enige wat ze weet is dat ze weg wil. Weg van deze plek, waar alles uit elkaar is gevallen. Zal ze haar moeder bellen en zeggen dat ze eraan komt? Ze wil het nummer intoetsen als ze Luna's stem in haar hoofd hoort. 'Mijn god, je gaat toch niet naar je ouders als je het moeilijk hebt? Wil je gepamperd worden?' Dat zei Luna altijd als Eva zich rot voelde en naar huis wilde. Niet naar haar ouders gaan dus. Maar ze wil wel weg. Weg van dit huis, weg van haar studie, weg van Arthur en Bart. Ze zou wel een jaar weg willen blijven. Ver weg, Azië, Australië, het maakt niet uit. Ineens weet ze het en ze zoekt in haar mobiel naar het berichtje van de studenten van haar faculteit. Ze leest het nog een keer en dan sms't ze terug. *Ik ga mee!*

'Dag, meneer Smit, u spreekt met Eva...'

'Jij gaat toch niet ook je huur opzeggen?' zegt de huisbaas. 'Net belde Nathalie ook al en vanochtend Fleur.'

'Ja sorry,' zegt Eva. 'Ik vertrek.'

Als ze heeft opgehangen bevestigt ze per mail dat ze haar kamer opzegt en dan gaat ze naar het altaartje, pakt de foto van Luna en drukt hem tegen haar borst. 'Luna, mijn lieve Luna, ik ga nu onze reis maken, alleen, maar niet helemaal alleen, want ik weet dat je bij me bent, ook al leef je niet meer, we zullen altijd samen zijn.'

Fleur kijkt haar kamer rond. Alles zit in zakken en dozen. Hanke kan het zo ophalen. Ze heeft een sms'je. Ze moet lachen, weer van Hanke. *Ik vind het zo erg dat ik je niet kan uitzwaaien. Duizend kusjes.*

Het is niet erg, je verhuist mijn spullen, dat is al zo super, sms't Fleur terug. *Jij ook duizend kusjes.* Ze stopt haar mobiel in haar zak en kijkt naar haar rugzak, die gevuld tussen de dozen staat. Ze heeft een lijstje gemaakt met spullen die echt mee moeten. Ze streept het af. Goed dat ik het nog even nakijk, denkt ze. Pen en papier! Veel te belangrijk. Het zat altijd in de la van haar kastje, maar waar heeft ze het gestopt? INHOUD GROENE KASTJE, staat op een doos en ze maakt hem open. Hebbes! Ze haalt haar blocnote eruit. Er valt een brief uit. Shit! Die hoort bij het stapeltje brieven onder de vloer in Luna's oude kamer. Ze aarzelt even, maar dan bedenkt ze dat het nu niet meer gaat. Hoe wil ze dat doen? Yvet woont er nu en die heeft een nieuw slot op de deur gezet. Ze leest haar laatste brief nog een keer.

Lieve Luna,
Na het incident in de steeg heb ik weken gekotst. Ik schaamde me zo verschrikkelijk dat ik het Kim niet eens heb durven vertellen. Alleen Nadia wist ervan, omdat ze er getuige van was. Met mijn psycholoog heb ik er een aantal sessies aan besteed en daarna dacht ik dat ik eroverheen was. Gelukkig ging het verder goed met me. Voor mijn studie had ik een proefopdracht moeten maken voor een krant. Een interview met een bekende Nederlander en ze hebben het geplaatst. Intussen was ik ook aan de hormonen gewend en voelde ik me niet meer zo slap. Nog een jaar en dan zouden de operaties beginnen. Ze hebben me helemaal onderzocht en de endocrinoloog zag geen bezwaren. Het bleef verdrietig dat mijn ouders met me hebben gebroken, maar toch had ik het nooit willen terugdraaien. Ik had mezelf ervoor teruggekregen en daar genoot ik elke dag van.
Kim kreeg verkering met een heel leuke stoere meid. Ze had net een erfenis gekregen en wilde twee jaar op wereldreis. Kim is gestopt met het conservatorium. Ze hebben een camper gekocht en zijn een paar weken geleden vertrokken. Ik krijg af en toe een mailtje van haar.
Ze was net weg toen ik hoorde dat er bij jullie in huis

een kamer vrijkwam. Ik had zo'n mazzel, midden in het centrum, en ik verhuisde meteen. Nadia drong er al een tijdje op aan dat ik een andere naam moest kiezen en daar was het toen het geschikte moment voor. Ik hoefde niet lang te denken. Vroeger, als ik verzon dat ik een meisje was, noemde ik mezelf Fleur. Ik vond het zo'n mooie naam. Bij ons in de brugklas zat een meisje dat Fleur heette. Ze zei dat het 'bloem' betekende. Het kon niet beter, ik voelde me een bloem die was opengegaan. Ik kwam voor het eerst bij jullie in huis en stelde me als Fleur voor. Later, als ik ge-opereerd ben, mag ik me officieel als Fleur inschrijven. Het was zo bijzonder, ik heb geen dag aan mijn nieuwe naam hoeven wennen. Het voelde zo vertrouwd, ook omdat jul-lie hem zo vanzelfsprekend uitspraken. Op school liet ik me ook Fleur noemen. Eerst moesten ze lachen, een verlate puberteitsaanval, zeiden de jongens plagend, maar ieder-een was er zo aan gewend.

Eigenlijk ging het allemaal goed, tot die middag dat ik jouw kamer in kwam. Je zou bij me eten en je kwam maar niet. Jij was nooit te laat. Ik ging kijken en trof je in tranen op je bed aan. Remco had je net gebeld, hij probeerde voor de zoveelste keer uit je te krijgen waarom je het zomaar had uitgemaakt, vertelde je snikkend. Hij bleef maar door-zagen en toen heb je hem verteld dat je erachter was geko-men dat je lesbisch was. Eerst geloofde hij je niet, maar toen zei je dat je al een keer met een meisje had gezoend en dat je al een tijdje verliefd op een vrouw was. Hij werd woest en schold je voor alles en nog wat uit. Je was een be-drieger, een hoer en hij zou het je wel betaald zetten. Hij walgde ervan dat hij met een pot had geneukt, dat vond je

nog het ergst. Je was compleet overstuur en je trilde helemaal. Ik sloeg een arm om je heen en streelde je door je
haar. Toen werd je langzaam rustig. Ik zei dat ik wel een
beetje kon begrijpen dat hij zo heftig reageerde. Hij was geschrokken, ik raadde je aan om hem een tijdje met rust te
laten. Hij kwam er wel overheen.

Ik zei dat ik het grappig vond dat je gevoelens voor vrouwen had en dat ik het helemaal niet wist. Ik vertelde nog
over Kim, die nu heel gelukkig was met haar Tara.

Ik vroeg of je al lang verliefd was op die vrouw. Je knikte
en ik vroeg of ze ook verliefd op jou was.

Je lachte en zei dat je het haar nog nooit had durven vertellen, omdat ze bij ons in huis woonde. Gek genoeg dacht
ik meteen aan Eva. Jullie waren zo close.

'Wel lastig voor je,' zei ik nog, 'want Eva heeft Bart.'

Het duurde even voor je wat zei. Je sloeg je ogen neer,
daarna keek je me aan. 'Ik ben verliefd op jou, Fleur.'

Ik stond op en liep door je kamer heen en weer. 'Jemig,'
zei ik. Ik sleepte de poef naar voren en ging voor je zitten.
'Ik geef heel veel om je, geloof me, maar ik val niet op
vrouwen.'

Je geloofde me niet, dat zag ik aan je. Je zei dat je mij nog
nooit met een jongen had gezien, ook niet op feestjes. Ik
had verteld dat ik vrij wilde zijn omdat ik tijdens de hele
middelbareschooltijd verkering met dezelfde jongen had
gehad, maar was dat wel zo?

Je keek me aan, met je oprechte blik. Ik kon het niet, jij
was zo eerlijk tegen me geweest. Ik kon niet tegen je liegen. Ik voelde ook hoeveel ik om je gaf, als mens en als
vriendin.

'Nee,' bekende ik. 'Het was een leugen.' Ik las de hoop in je ogen. Ik pakte je hand en zei dat ik iets heel moeilijks aan je ging vertellen. Iets wat bijna niemand wist. En ik vertelde dat ik een meisje was in een jongenslichaam en dat ik nu hormonen slikte en eindelijk borsten kreeg. En dat ik over een jaar werd geopereerd. Dat mijn vrouwenlichaam dan compleet was. Het bleef even stil. Je stond op en toen barstte je in lachen uit. 'Dus ik ben al die tijd al verliefd op een vent? Gekker kan het niet,' zei je en je schaterde het uit. Je had het met Remco uitgemaakt omdat je dacht dat je op een vrouw viel, maar ik was helemaal geen vrouw. Ik was een verbouwde kerel.

'Ik ben wel een vrouw, Luna,' zei ik zo kalm mogelijk. 'Ik ben in het verkeerde lichaam geboren.'

'Dus wij wonen al die tijd met een man, een verbouwde man, en daar ben ik verliefd op. Waarom heb je het ons niet eerlijk verteld?'

Ik zei dat ik dat niet durfde, en ik vertelde je hoe pril het allemaal nog was, omdat ik nog niet helemaal een vrouw was.

'Shit!' riep je. 'Shit shit shit! Ik ben verliefd op een vent geweest.'

'Nee,' zei ik. 'Zeg dat nou niet.'

'Een nepvent dan, nou goed. Je bent toch een man?' Je was heel emotioneel.

'Luna, je kunt het niet begrijpen, dat snap ik best. En ik begrijp ook dat het beroerd is dat je verliefd op me bent en dan dit hoort. Maar het is zo, ik ben een vrouw.'

'En dit dan?' riep je. Je stak je hand naar mijn geslachtsdeel uit.

'Niet doen!' riep ik. 'Dat moet je niet bij mij doen.'

Maar je ging toch door.

'Nou wil ik hem zien ook.'

In een flits zag ik mezelf in de steeg tegen de muur ge-drukt. Ik voelde je hand. 'Afblijven!' riep ik. 'Oprotten!'

Je ging toch door en toen gaf ik je een duw. Het was niet eens hard, je wankelde en toen viel je naar achteren. Ik gaf een gil. Het raam stond open. Je viel eruit. Het werd zwart voor mijn ogen. Ik stond als versteend, ik durfde niet te kijken en rende naar mijn kamer. Ik bad, voor het eerst na al die jaren bad ik en smeekte ik God of je mocht leven. Ik hoorde sirenes en geschreeuw, maar ik bleef maar bidden. Ik weet niet hoe lang ik daar zat, tot Eva mijn kamer bin-nenkwam. 'Luna...' zei ze. 'Luna...' Verder kwam ze niet, maar ik zag het aan haar gezicht. Later zag ik je liggen, op de brancard. Je was dood door mijn schuld. Ik kon er met niemand over praten. Ze dachten dat het een ongeluk was. Ik wist dat ik me moest aangeven, maar ik was zo bang. Ik durfde niet naar de politie te gaan, niet met dit lichaam. Ze zouden me vernederen. Ik weet niet wat voor ergs ze ge-daan zouden hebben, maar ineens bedacht ik dat jij dat nooit zou hebben gewild. Luna, ik zal moeten leven met deze afschuwelijke gedachte, maar ik blijf altijd van je houden.

De tranen lopen over Fleurs wangen. Ze steekt een lucifer aan en houdt de brief erboven. Daarna pakt ze haar rug-zak, kijkt nog één keer haar kamer rond en vertrekt. Ze loopt de gang op en blijft voor Luna's kamer staan. 'Als ik had geweten dat het raam openstond, dan had ik je nooit van me af geduwd,' fluistert ze. 'Geloof me, Luna, het was een ongeluk.' Dan loopt ze de trap af, het huis uit. Ze kijkt naar het huis, naar alle drie de kamers die binnenkort door anderen worden bewoond. Luna, jij bent er niet meer, denkt ze, het is afschuwelijk, maar we moeten alle drie verder. Nee, denkt ze, we wíllen alle drie verder.

De auteur heeft zich bij het schrijven van dit boek laten inspireren door *Genderkinderen – Geboren in het verkeerde lichaam* van Sarah Wong (fotografie) en Ellen de Visser (tekst), uitgegeven door d'jonge Hond in 2010.

Bangkok boy

De negentienjarige Bo begrijpt er helemaal niets van als haar vriend Joep ineens een punt achter hun relatie zet. Als haar ergste woede is gezakt, vraagt ze zich af waarom hij haar heeft gedumpt. Aangespoord door haar vriendin Anouk gaat ze hem zoeken.

Tot haar verbazing blijkt hij spoorloos verdwenen. Het enige teken van leven is een kaart uit Bangkok, die hij naar zijn adoptieouders heeft gestuurd. Vastberaden dit tot op de bodem uit te zoeken, reizen Bo en Anouk Joep achterna. Ze raken verzeild in een avontuur met verstrekkende gevolgen...

'Het boek ontwikkelt zich gaandeweg tot een zogenoemde roadnovel, waarin twee hartsvriendinnen een plotseling verdwenen ex-lover achternareizen. Hun vriendschap is er een van pieken en dalen en levert naast de vele hilarische scènes ook ontroerende momenten op.'
De Telegraaf

'Hun zoektocht is spannend, gevaarlijk en grappig en laat zien wat echte vriendschap is.'
Cosmogirl

ISBN 978 90 499 2460 7

Fatale liefde

Twee vriendinnen, twee fatale liefdes...

Liz heeft al twee jaar verkering met Djawad en wil graag met hem samenwonen. Maar wanneer ze erover begint, reageert hij afwijzend. Ze weet niet dat hij met een groot geheim rondloopt.

Amber wil na de modeacademie een hippe kledinglijn voor jongeren beginnen, samen met haar beste vriendin Liz. Hun droom wordt werkelijkheid als Amber dertigduizend euro van haar tante erft. Zonder dat ze het weet zet ze hun droom op het spel door verliefd te worden op Leon, die zich heel anders voordoet dan hij in werkelijkheid is...

Wat begint als een onschuldig liefdesverhaal, ontwikkelt zich gaandeweg tot een superspannende thriller die je op het puntje van je stoel uitleest!

'Schot in de roos, een waanzinnige en superspannende thriller voor young adults!'
Suzanne Vermeer, auteur van o.a. *Après-ski* en *All-inclusive*

ISBN 978 90 499 2421 8